사회복지 인문학 · 논어

사회복지 인문학 · 논어

발 행 | 2024년 1월 25일
저 자 | 김준희
펴낸이 | 한건희
디자인 | 권영민
펴낸곳 | 주식회사 부크크
출판사등록 | 2014.07.15.(제2014-16호)
주 소 | 서울특별시 금천구 가산디지털1로 119 SK트윈타워 A동 305호
전 화 | 1670-8316
이메일 | info@bookk.co.kr

ISBN | 979-11-410-6871-4

www.bookk.co.kr

사회복지 인문학
논어

추천사

축하의 말씀을 드립니다, 김준희 저자님의 저서《사회복지 인문학 · 논어》의 출판은 사회복지학 분야에 있어 중대한 발전입니다. 이 책은 공자의 고대 지혜를 현대 사회복지의 맥락에 통찰력 있게 적용함으로써, 사회복지 분야의 전문가들과 학생들에게 새로운 관점을 제시합니다. 공자의 가르침이 오늘날의 사회복지 실천에 어떻게 적용될 수 있는지를 탐구함으로써, 귀하의 저서는 사회복지학의 이론과 실천 사이의 교량 역할을 훌륭히 수행합니다.

《사회복지 인문학 · 논어》는 인간관과 인간 존엄성에 대한 이해, 상호 존중과 협력의 중요성, 자기계발과 지속적인 학습, 윤리적 리더십, 그리고 공정한 자기관리와 균형 유지라는 핵심 주제들을 다룹니다. 이러한 주제들은 사회복지실천에 있어 필수적인 요소들이며, 귀하의 책은 이들을 심도 있고 실용적인 방식으로 탐구합니다. 특히, 인간의 존엄성과 상호 존중의 가치는 사회복지사가 다양한 배경과 상황에 있는 개개인을 존중하고 평등하고 공정한 서비스를 제공하는 데 중요합니다. 이는 사회복지실천에서의 핵심 원칙이자, 공자의 가르침과 현대 사회복지의 가치 사이의 강력한 연결 고리를 형성합니다.

또한, 귀하의 책은 지속적인 자기계발과 학습의 중요성을 강조하며, 사회복지사들이 변화하는 사회와 다양한 문제에 효과적으로 대응할 수 있도록 격려합니다. 윤리적 리더십의 구축과 공정한 자기관리는 사회복지 실천에서의 신뢰와 효율성을 증진시키는 데 필수적인 요소입니다.

《사회복지 인문학 · 논어》는 이러한 중요한 주제들을 다룸으로써, 사회복지 분야의 전문가들과 학생들에게 뿐만 아니라, 더 넓은 독자층에게도 깊은 영감과 지식을 제공할 것입니다. 이 책은 사회복지실천에 있어 고대의 지혜와 현대의 전략 사이의 중요한 연결고리를 제공하며, 사회복지 분야에서의 지속 가능한 발전과 혁신을 위한 기초가 될 것입니다. 귀하의 노력과 헌신에 깊은 감사를 표하며, 이 책이 사회복지 분야에 큰 영향을 미칠 것임을 확신합니다. 다시 한번 출판을 진심으로 축하드립니다.

경상남도사회복지사협회장, 창신대학교 사회복지학과 교수 염동문

추천사

김준희 저자님의 《사회복지 인문학 · 논어》는 사회복지학 전공자로서 따뜻하고 통찰력 있는 내용으로 사회복지사의 실천학을 탐구한 훌륭한 결과입니다.

이 책은 공자의 철학을 중심으로 사회복지사가 가져야 할 인문학적인 이해를 깊이 있게 탐구하고 있습니다. 저자는 사회복지의 핵심 원칙과 인간관계에 대한 공자의 철학을 조망하며, 이를 통해 독자에게 사회복지의 핵심 가치에 대한 깊은 이해를 선사하고 있습니다.

이 책은 사회복지학 전공자에게 교육적이고 도전적인 시각을 제공하며, 사회복지사로서의 역량을 높이기 위한 실천적인 통로를 제시합니다. 저자는 학문적인 지식과 현장 경험을 통합하여 사회복지의 본질에 대한 이해를 넓히고, 독자들에게 풍부한 통찰력을 선사하고 있습니다.

이 책은 전공자들뿐만 아니라, 사회복지에 관심을 가진 모든 이에게 추천할 만한 가치 있는 자료입니다. 사회복지학 전공자로서 이 책을 통해 학문적인 깊이를 더하고, 현장에서의 경험을 통해 사회복지의 역할에 대한 새로운 시야를 확장할 수 있습니다.

이 책이 사회복지학 전공자들과 사회복지에 관심 있는 독자들에게 큰 영감을 주길 기대하며, 저자에게는 학문적인 열정과 실천적인 통찰력을 통해 더 나은 사회복지의 미래를 열어나가기를 바랍니다.

창신대학교 사회복지학과 학과장 이원준

추천사

귀한 책이 출간되어 축하드립니다. 김준희 원장은 한국에서 드물게 감성 인문학, 컬러 인문학 명강사로 활동하고 계시는 분이면서, 새로운 콘텐츠를 꾸준히 한국 사회에 소개하는 분이기도 합니다.

이번 《사회복지 인문학 · 논어》는 현대 사회의 사회복지학에 대한 이해와 실천에 인문학의 중요성을 강조한 역작입니다. 우리는 인문학을 통해 개인과 집단, 그리고 사회 간의 상호작용을 깊이 이해할 수 있습니다. 교육과 실천의 측면에서, 이 책은 동양인의 사상적 기반을 제공한 공자의 《논어》의 전통과 현대의 다양한 관점을 융합하며, 사회복지학과 인문학이 서로 보완하며 더 나은 사회를 구축하는 데 얼마나 중요한 역할을 하는지 명확히 보여줍니다.

이 책은 사회복지학과 인문학의 접점에서 비롯된 지혜를 제공함으로써, 독자들에게 깊이 있는 철학적 사유와 현실적인 실천 간의 균형을 제시합니다. 사회복지학의 이론과 실천은 개인과 집단의 복지 증진을 위해 교차하며, 이를 인문학적으로 이해하고 체득하는 것은 현대 사회의 다양한 도전에 대응하기 위해 필수적입니다.

《사회복지 인문학 · 논어》는 사회복지사에게 독특하고 깊이 있는 시각을 제공합니다. 김준희 원장은 자신의 인문학적 배경과 사회복지 전공지식을 융합하여, 총 4부에 걸쳐 '배움, 행동, 관계, 존재' 등의 주제를 다루면서 사회복지사들이 마주치는 다양한 상황에 대한 해답을 찾아냅니다.

이 책을 통해 사회복지사들은 다양한 문제에 대한 깊은 철학적 고찰을 통해 인간 본질에 대한 깨달음을 얻을 것입니다. 또한, 김준희 원장은 강렬한 현실감을 통해 사회적 이슈와 인간관계에 대한 이해를 높이며, 사회복지사로서의 역량을 강화하는 데 기여할 것입니다.

이 책은 사회복지학과 인문학의 접목을 통해 새로운 시야를 제시하며, 사회복지사들과 인문학에 관심을 가진 독자들에게 지적인 자극과 현실적인 지혜를 함께 선사할 것입니다.

권영민인문학연구소장 권영민

CONTENT

3부. 관계 편

4부. 존재 편

서 문

왜 사회복지학과 《논어》인가?

공자는 고대 중국의 철학가로서, 그의 가르침은 오늘날의 사회복지사에게도 깊은 영감을 줄 수 있는 통찰력을 담고 있습니다. 공자의 논어를 통해 도출된 다양한 원리와 가르침은 21세기 사회복지사가 가져야 할 사회복지 실천론에 많은 영감을 제공합니다.

1. 인간관과 인간 존엄성의 이해

공자의 논어는 인간에 대한 긍정적이고 균형 있는 인간관을 제시합니다. 21세기 사회복지사는 다양한 배경과 상황에 있는 개개인을 존중하고, 인간 존엄성을 핵심 가치로 삼아야 합니다. 각 개인의 유일성을 이해하고 존중함으로써, 다양성에 대한 이해를 바탕으로 평등하고 공정한 서비스 제공을 실천해야 합니다.

2. 상호존중과 협력의 중요성

공자의 가르침은 상호존중과 협력의 가치를 강조합니다. 21세기 사회복지사는 다양한 이해 관계자들과 협력하며, 상호존중과 상호이해를 통해 보다 효과적으로 사회적 문제에 대처해야 합니다. 협력적인 접근은 사회복지사의 서비스가 개인과 공동체에 더 큰 영향을 미칠 수 있도록 도와줍니다.

3. 자기계발과 지속적인 학습

공자의 논어는 지속적인 자기계발을 강조합니다. 21세기 사회복지사는 변화하는 사회와 다양한 문제에 대응하기 위해 끊임없이 학습하고 발전해야 합니다. 자기계발은 개인적 역량을 향상시키고, 클라이언트들에게 더 나은 서비스를 제공하는데 기여합니다.

4. 윤리적 리더십의 구축

공자의 논어는 윤리적인 행동과 리더십의 중요성을 강조합니다. 21세기 사회복지사는 윤리적인 가치와 원칙을 따르며, 클라이언트와의 상호작용에서 공정하고 투명한 리더십을 보여야 합니다. 윤리적 리더십은 신뢰를 쌓아가며 지속가능한 변화를 이끌어내는 역할을 합니다.

5. 공정한 자기관리와 균형 유지

공자의 논어는 자기관리와 균형을 이루는 데 중요성을 부각시킵니다. 21세기 사회복지사는 업무의 압박 속에서도 공정하게 자기를 관리하고, 개인적인 균형을 유지하면서 효율적으로 일을 수행해 나가야 합니다.

21세기 사회복지사의 사회복지 실천론은 《논어》를 바탕으로 하며, 상호존중, 협력, 자기계발, 윤리적 리더십, 자기관리 등의 가치를 중시하여 사회적 문제에 대한 효과적인 대처와 변화를 이끌어낼 수 있습니다.

2024년 1월 22일

김준희

공자(孔子)의 삶과 대표 사상

공자의 인(仁) 사상: 인간애와 공동체 윤리의 기틀

인(仁)은 중국의 고대 철학가인 공자(孔子)가 중요하게 강조한 개념 중 하나로, 인간애와 공동체 윤리를 향한 기초적인 가치로 인식되고 있다. 인(仁)은 공자의 철학에서 핵심적인 역할을 하며, 인간관, 윤리적 행동, 사회적 관계에 대한 그의 사상을 체계화하는 중심 개념으로 부각된다.

1. 인(仁)의 의미

인(仁)은 공자의 논어에서 '인자(仁者)'라 불리며, '인간성', '인간애', '어진 마음' 등으로 해석된다. 이는 자비로움, 이해심, 정의감, 타인에 대한 배려와 관심을 내포하고 있다.

2. 인(仁)과 윤리적 행동

공자는 인(仁)을 통해 윤리적 행동을 지향하고, 다른 이에게 대한 배려와 예의를 강조했다. 인(仁)은 자기 이익보다는 공동체의 이익과 조화를 추구하며, 양심과 도덕성을 기반으로 한 행동을 촉구한다.

3. 공동체 윤리의 중심

인(仁)은 개인의 도덕성 뿐만 아니라 공동체와의 관계에서도 중요한 역할을 한다. 공동체의 안정과 번영을 위해 인(仁)을 실천하는 것은 공자가 추구한 공동체 윤리의 중추적인 가치이다.

4. 자비로움과 이해심의 표현

인(仁)은 자비로움과 이해심의 상징으로 간주된다. 다른 이의 고통을 이해하고 공감하는 마음은 인(仁)의 본질을 구현하는 것으로 여겨진다.

5. 인(仁)과 가족 윤리

가족은 공자에게 중요한 윤리적 단위로 여겨졌다. 인(仁)은 가족 내에서도 가치 있게 다뤄져야 하며, 가족 구성원 간의 상호존중과 사랑을 강조하는데 이바지한다.

6. 교육과 지도자의 역할

공자는 교육을 통해 인(仁)을 심어주고 발전시키는 것이 중요하다고 주장했다. 지도자는 특히 예의 바른 행동으로 예를 제시하고, 학문과 도덕을 통해 다른 이들에게 영향을 미치는 존재로 나아가야 한다고 강조했다.

7. 인(仁)과 정치적 리더십

공자는 정치적인 리더들이 인(仁)의 원리를 따르며, 백성을 위해 봉사하고 공정한 통치를 실현해야 한다고 주장했다. 인(仁)은 리더십에서의 길잡이 역할을 하는 가치로 간주되었다.

8. 현대적 해석과 인(仁)의 의미

현대에는 인(仁)이 더 넓은 의미로 확장되어 개인 간의 상호존중, 국가 간의 협력, 지구촌의 평화 등과 연결되며 공존과 조화를 추구하는 윤리적인 원칙으로 확장되었다. 현대적으로는 다양성과 인권 존중을 강조하여 긍정적인 사회적 상호작용과 평등을 향한 노력을 장려하고 있다. 이는 지속 가능하고 윤리적인 가치를 강조하는 데에 도움을 주며, 현대 사회에 적용 가능한 윤리적 지침을 제시한다.

9. 인(仁)과 사회적 공정성

인(仁)은 사회적인 차별과 불평등에 대한 반대로 이어지며, 공정하고 동등한 사회를 추구하는 데 중요한 도구로 작용한다. 모든 개인이 고유한 가치를 지니며 서로를 존중하고 도울 때 비로소 사회는 더 나은 방향으로 발전할 수 있다.

10. 화합과 조화의 실현

인(仁)은 갈등과 분열을 넘어서 화합과 조화를 실현하고자 하는 고차원의 윤리로 해석된다. 서로 다른 가치와 신념을 존중하며, 상호간의 이해와 협력을 통해 공동체가 서로 긍정적으로 상호작용할 수 있도록 유도한다.

11. 도덕적 리더십과 현대 사회:

현대 사회에서 인(仁)은 도덕적인 리더십을 강조하는 중요한 가치로 받아들여집니다. 조직, 기업, 정치 등 다양한 분야에서 인(仁)의 원리를 지키며 사회적 책임을 다하는 리더들은 더 긍정적인 영향을 미칠 것으로 기대된다.

12. 인(仁)의 미래적 가치

공자의 인(仁) 사상은 미래 사회에도 여전히 가치 있는 원칙으로 남아있다. 상호 존중, 이해, 배려, 협력을 기반으로 한 인(仁)은 인간성의 극치를 나타내며, 지속 가능하고 풍요로운 사회를 구축하는 데 기여한다. 인(仁)은 어제, 오늘, 그리고 미래의 더 나은 세계를 향한 열쇠다.

공자의 인(仁) 사상은 인간의 가장 근본적인 도덕적 가치를 강조하며, 이는 오늘날에도 여전히 인류 공동체에 대한 고차원의 가이드로 작용하고 있다. 이는 공동체의 조화와 평화를 위한 지속적인 노력의 일환으로써 우리의 삶에 큰 영감을 제공하고 있다.

사회복지 인문학

|

배움

1. 배우고 실천하라,

"배우고 때때로 익히면 기쁘지 아니한가? 벗이 있어 먼 곳에서 찾아 온다면 즐겁지 아니한가? 남이 나를 알아주지 않아도 성내지 않으니 이 또한 군자가 아니겠는가?" 《논어, 학이편》

논어 학이편에 나오는 "배우고 때때로 익히면 기쁘지 아니한가 벗이 있어 먼 곳에서 찾아온다면 즐겁지 아니한가, 남이 나를 알아주지 않아도 성내지 않으니 이 또한 군자가 아니겠는가?"라는 글은 군자의 자세에 대한 공자의 가르침을 담고 있다.

먼저, "배우고 때때로 익히면 기쁘지 아니한가?"라는 문구에서는 지식과 기술의 습득에 대한 중요성이 강조된다. 사회복지사로서, 우리는 계속해서 학습하고 발전해야 한다. 사회는 변화하고 다양해지고 있으며, 이에 대응하기 위해서는 지속적인 학습이 필요하다. 새로운 이론과 기술을 배우면서 우리는 더 나은 서비스를 제공할 수 있고, 이는 결국 사회적 변화와 개선에 기여하게 될 것이다.

"벗이 있어 먼 곳에서 찾아온다면 즐겁지 아니한가?"에서는 협력과 공동체의 중요성을 말한다. 사회복지사는 현장에서 다양한 인물과 협력하며, 사회 문제를 해결하는 데 참여한다. 다양한 배경과 경험을 가진 이들과의 협력을 통해 우리는 보다 풍부한 아이디어와 통찰력을 얻을 수 있다. 이는 사회복지사가 사회적 연대와 협력을 통해 더 나은 결과를 이끌어낼 수 있는 능력을 갖추어야 함을 의미한다.

"남이 나를 알아주지 않아도 성내지 않으니 이 또한 군자가 아니겠는가?"에서는 자아 존중과 독립성에 대한 가르침이 담겨 있다. 사회복지사는 종종 갈등 상황이나 어려운 상황에서 일하게 된다. 다른 이들의 인정을 받는 것이 중요하지만, 우리 자신의 가치를 내면에서 찾고 지켜나가는 것 또한 필요하다. 이는 사회복지사가 어려운 환경에서도 자신의 원칙을 지키며 무엇보다도 환자나 클라이언트의 이익을 위해 노력해야 함을 의미한다.

이러한 군자의 자세는 사회복지사에게도 중요한 덕목이라고 할 수 있다. 사회복지사는 다양한 사람들을 만나고, 그들의 어려움을 함께 해결해 나가야 한다. 따라서 배우고 익히는 자세를 통해 전문성을 키우고, 벗을 만나는 자세를 통해 상호 소통과 협력을 이루며, 남의 시선을 두려워하지 않는 자세를 통해 공정성과 객관성을 유지하는 것이 중요하다.

인문학 코칭, 군자와 사회복지사

군자는 지식 습득과 학습을 중시하며, 새로운 것을 배우고 익히는 것을 즐긴다. 군자는 지적 호기심과 성장을 추구하며, 자기계발에 노력한다. 또한, 벗이 멀리서 찾아와도 기뻐하며 타인의 지식과 경험을 소중히 여긴다. 남이 자신을 알아주지 않아도 성내지 않고 겸손한 자세를 보인다.

사회복지사는 지속적인 학습과 전문성 강화에 주력한다. 현장에서 발생하는 다양한 문제에 대응하기 위해 학문적이고 전문적인 지식을 쌓는 것이 중요하다. 또한, 타인과의 협력을 통해 사회적 문제에 대처하며, 존중과 이해를 바탕으로 봉사하는 태도를 취한다. 사회복지사는 자부심을 가지고 자신의 역할을 이해하며, 남들의 인정을 기다리지 않는다.

군자와 사회복지사의 공통점은 지속적인 학습과 성장을 중요시하며, 타인과의 협력, 존중, 이해, 겸손한 자세를 갖추는 것이다. 군자와 사회복지사 모두 자기 발전과 타인과의 관계를 통해 사회에 기여하는 태도가 강조된다. 그러나 군자의 경우에는 주로 지적인 측면과 개인적인 성장에 중점을 두고 있으며, 남이 나를 알아주지 않아도 성내지 않는 태도는 자기만족과 내적 성장을 강조한다. 반면에 사회복지사는 지식과 봉사의 관점에서 다양한 사회적 요소에 대응하고 협력하는 것을 중시한다.

요약하면, 군자의 태도는 주로 개인적인 지식과 성장에 중점을 두고 있으며, 사회복지사의 태도는 사회적 문제에 대한 전문성과 협력을 강조하고 있다.[1)]

---

1) 공자의 '군자'는 "뛰어난 도덕성과 예의, 자기 개량을 추구하는 이상적인 인격 모델로, 인격의 완성과 인화(인간애)를 강조하여 사회적, 도덕적 지도자"를 의미한다. 현대적으로는 군자를 리더와 같은 의미로 사용하며, 특히 본 글에서는 리더십을 가진 사회복지사를 지칭한다..

사회복지인문학, 배움의 태도

사회복지 분야는 빠르게 변화하고 발전하고 있다. 따라서 사회복지사는 최신 지식과 정보를 습득하고, 전문성을 갖추기 위해 지속적으로 공부해야 한다. 사회복지사가 전문성을 갖추지 못하면, 이용자의 어려움을 효과적으로 해결하기 어렵다.

사회는 다양한 변화를 겪고 있다. 따라서 사회복지사는 시대의 변화에 대응하고, 이용자에게 적합한 서비스를 제공하기 위해 지속적으로 공부해야 한다. 사회복지사가 시대의 변화에 대응하지 못하면, 이용자의 요구를 충족시키지 못할 수 있다.

사회복지 가치는 사회복지사의 전문성과 직결된다. 따라서 사회복지사는 사회복지 가치를 실현하기 위해 지속적으로 공부해야 한다. 사회복지사가 사회복지 가치를 실현하지 못하면, 사회복지 본연의 역할을 수행하기 어렵다.

사회복지사는 공자의 가르침처럼 배우고 익히는 자세로 지속적으로 공부해야 한다. 사회복지사가 지속적으로 공부한다면, 전문성을 갖추고, 시대의 변화에 대응하며, 사회복지 가치를 실현할 수 있다.

사회복지사 실천법

- 배우고 성장하라
- 소통하고 공감하라
- 가치를 실현하라

사회복지사는 다양한 사람들의 어려움을 해결하고, 사회의 발전에 기여한다. 따라서 사회복지사는 최신 지식과 정보를 습득하고, 전문성을 갖추기 위해 끊임없이 배우고 성장해야 한다. 사회복지사가 끊임없이 배우고 성장하기 위해서는 다음과 같은 노력을 할 수 있다. 방법으로는 전문 학술서적과 논문 읽기, 사회복지 관련 세미나와 학회 참석하기, 사회복지 관련 기관과 단체 활동하기가 있다.

사회복지사는 이용자의 입장을 이해하고, 그들의 문제를 해결하기 위해 노력해야 한다. 따라서 사회복지사는 이용자와 소통하며 공감하는 능력을 갖추어야 한다. 사회복지사가 이용자와 소통하며 공감하기 위해서는 다음과 같은 노력을 할 수 있다. 이용자의 말을 경청하고, 그들의 감정을 이해하려고 노력하는 태도이다. 이용자의 입장에서 생각하고, 그들의 필요를 파악해서 이용자와 함께 문제 해결을 위한 방법 찾기가 있다.

사회복지 가치는 사회복지사의 전문성과 직결된다. 따라서 사회복지사는 사회복지 가치를 실천하기 위해 노력해야 한다. 사회복지 가치를 실천하기 위한 방법으로는 이용자의 권리를 보호하고, 사회정의를 실현하기 위해 노력하기, 이용자의 자립을 돕고, 사회통합을 이루기 위해 노력하기,

사회복지 전문성을 바탕으로 사회복지 서비스를 제공하기 위해 노력하기가 있다.

사회복지사가 논어 학이편의 가르침을 실천한다면, 보다 전문적이고 가치 있는 사회복지 실천을 통해 사회에 긍정적인 영향을 미친다.

2. 배우고 사색하라

"배우기만 하고 생각하지 않으면 어둡고, 생각만 하고 배우지 않으면 위태롭다." 《논어, 위정편》

"배우기만 하고 생각하지 않으면 어둡다."는 부분은 계속해서 자기 분야의 최신 동향이나 이론을 학습하고 전문성을 향상시켜야 함을 의미한다. 사회복지사로서, 정기적인 교육, 세미나, 워크샵 등을 통해 전문적인 지식을 쌓고 최신 동향을 파악하며, 이를 현장에서 적용하도록 노력해야 한다.

"생각만 하고 배우지 않으면 위태롭다."는 부분은 이론적인 학습만으로는 현실적인 문제에 대한 대응력이 부족하다는 경고이다. 이론을 현실 상황에 적용하고, 실제 사회복지 현장에서의 경험을 통해 업무에 적용해야 한다. 현장 실무 경험을 통해 문제를 실제로 경험하고, 그에 대한 해결책을 모색하는 능력을 키우는 것이 중요하다

공자의 말은 지식뿐만 아니라 자기 성찰과 윤리적인 생각의 중요성을

강조한다. 사회복지사로서 자기 성찰은 반드시 필요한 태도이다. 본인의 가치관과 윤리적 원칙을 끊임없이 고민하고, 자기 행동을 꾸준히 되돌아보며 개선해 나가는 노력이 필요하다. 기존의 방식을 따르기만 할 것이 아니라, 클라이언트들과의 다양한 소통을 통해 최적의 서비스를 제공하도록 배움과 사색을 통한 주도성을 가지는 것이 중요하다.

이와 같이 사회복지사로서의 성찰은 계속적인 학습, 현장 경험의 확장, 그리고 자기 성찰과 유연성의 태도는 성장으로 이어진다. 이러한 세 가지 측면을 균형 있게 발전시키면서, 공자의 가르침을 통해 더 나은 사회복지사로 성장할 수 있다.

인문학 코칭, 군자와 사회복지사

지식과 지혜, 두 지평선 사이에서 군자와 사회복지사가 서로 다른 시대와 역할에서도 공유하는 가치들이 있다. 군자는 새로운 지식에 열려 있으면서도 변화의 필요에 민감하게 대응하여 자기 성장과 발전을 추구한다. 이는 현대의 사회복지사가 지속적인 학습과 변화에 개방적인 태도를 갖는 것과 궤를 같이한다. 또한, 군자는 전통을 중시하되 새로운 상황에 따라 적응하는 데 열린 마음을 지닌다. 이는 사회복지사가 전통적인 가치를 존중하면서도 다양한 상황에 유연하게 대처하는 능력을 요구하는 현대 사회에서 더욱 강조되는 가치이다.

사회복지사는 꾸준한 학습과 지식의 확장을 통해 사회의 다양한 도전과 문제에 대응한다. 각 클라이언트에게 맞춤형 서비스를 제공하고, 다양한 상황에 대한 창의적이고 유연한 해결책을 모색함으로써 군자의 지혜 추구와도 일치한다. 또한, 군자가 자기를 바로잡고 성장하는 과정에서 윤리적인 사고를 강화하는 것과 같이, 사회복지사도 끊임없는 자기성찰을 통해 클라이언트의 존엄성과 안전을 유지하기 위한 윤리적 행동을 강조한다.

결국, 군자와 사회복지사는 각자의 시대와 역할에서도 지식과 지혜, 윤리적인 사고와 성장의 원동력에 대한 고찰에서 유사성을 찾아낸다. 과거와 현재를 연결하는 이러한 유사성은 두 역할 간에 지속적인 상호영향과 상호학습을 통해 발전해 나가야 할 중요한 가치적 요소임을 시사한다.

사회복지인문학, 주도적 결정

사회복지사가 다양한 클라이언트에게 동일한 메뉴얼로 서비스를 제공할 때, 이로 인해 다양성을 고려하지 않는 문제점이 생길 수 있다. 이러한 상황은 클라이언트들의 다양한 욕구와 상황을 고려하지 않고, 표면적인 해결책에만 의존할 가능성이 있다.

클라이언트의 다양성을 무시한 서비스 제공은 맞춤형 지원의 부재로 이어질 수 있다. 각 클라이언트는 고유한 배경, 가치관, 그리고 욕구을 가지고 있어서, 단일한 메뉴얼이 모든 상황에 적합하지 않을 수 있다. 특정 클라이언트의 상황과 욕구를 고려하지 않고 절차에만 의존한다면, 실제 문제의 본질을 파악하고 적절한 지원을 제공하는데 어려움이 따른다.

다양성을 고려하지 않는 서비스 제공은 의사소통의 어려움을 초래할 수 있다. 각 클라이언트는 자신만의 언어, 문화, 그리고 가치관을 가지고 있다. 일반적인 메뉴얼을 사용하면 문화적 차이에 민감한 서비스가 부족하게 되어, 클라이언트와의 원활한 소통이 어렵다. 이는 상호작용의 질을 저해하고 클라이언트의 참여를 어렵게 만들기도 한다.

동일한 메뉴얼을 적용하는 것은 클라이언트와의 관계 구축을 어렵게 할 수 있다. 사회복지사는 클라이언트와의 신뢰를 기반으로 한 긍정적인 관계를 구축해야 한다. 그러나 일반적인 메뉴얼을 사용하면 클라이언트들은 자신의 고유성이 인식되지 않는다고 느낄 수 있고, 서비스에 대한 불만이나 거부감이 증가할 수 있다.

요약하면, 다양한 클라이언트에게 동일한 메뉴얼로 서비스를 제공하기보다 각 클라이언트의 욕구를 고려하고 유연한 서비스를 제공하는 것이 중요하다.

사회복지사 실천법

- 개별화된 평가와 계획수립
- 신속하고 유연한 상황대처능력
- 전문성과 자기책임성 강화

사회복지사가 서비스 제공 시 주도적 결정은 효과적이고 실질적인 서비스를 제공하는 핵심적인 요소로 작용한다. 주도적 결정은 클라이언트 중심의 서비스, 효율적인 대응 능력 향상, 그리고 전문성 및 자기 책임성 강화에 기여한다.

개별화된 클라이언트 평가 및 계획 수립이 주도적 결정의 핵심이다. 사회복지사는 각 클라이언트의 고유한 상황과 욕구를 주도적으로 파악해야 한다. 이를 위해 초기 상담 단계에서는 클라이언트와의 개별화된 상담을 통해 클라이언트의 욕구를 정확하게 파악하고, 이에 기반하여 맞춤형 서비스 계획을 수립해야 한다. 예를 들어, 어떤 클라이언트는 심리적인 지원을 필요로 하며 다른 클라이언트는 경제적인 지원이 필요할 수 있다. 이러한 다양한 욕구를 고려하여 맞춤형 서비스를 제공함으로써 클라이언트 중심의 접근을 강화할 수 있다.

신속하고 유연한 상황 대처 능력 강화가 주도적 결정의 결과로 나타난다. 사회복지 현장에서는 빠르게 변화하는 상황에 대응하는 데 민첩성이 요구된다. 사회복지사는 상황을 주도적으로 평가하고 필요한 결정을 내림으로써, 문제에 신속하게 대응할 수 있다. 예를 들어, 급박한 상황에서는 클라이언트의 긴급한 욕구를 충족시키고, 현장에서 발생하는 도전에 신속하게 대처함으로써 클라이언트에게 실질적인 도움을 제공할 수 있다.

전문성과 자기 책임성을 강화하는 지속적인 학습과 성장이 주도적 결정에 기여한다. 사회복지사는 주도적으로 문제를 파악하고 결정을 내릴 뿐만 아니라, 지속적으로 전문성을 향상시키는 노력이 필요하다. 꾸준한 교육 및 피드백 수용을 통해 사회복지사는 자신의 역량을 강화하고 최신 정보에 대한 이해를 높일 수 있다. 이를 통해 전문성과 자기 책임성을 높임으로써, 현장에서 신뢰와 존경을 얻을 수 있으며, 효과적이고 지속적인 서비스 제공이 가능하다.

요약하면, 주도적 결정은 클라이언트 중심의 서비스, 효율적인 대응 능력, 그리고 전문성 및 자기 책임성을 강화하는 핵심적인 행동이다. 이러한 행동들은 사회복지사가 다양한 상황에서 효과적으로 서비스를 제공할 수 있도록 도와주며, 클라이언트와의 긍정적인 상호작용과 지속적인 성장에 기여한다.

3. 분석하고 관찰하라

"그 행하는 바를 보고 그 이유를 살피며 그가 편안히 여기는 것을 관찰하면 어찌 자신을 숨길 수 있겠는가, 어찌 자신을 숨길 수 있겠는가?"《논어, 위정편》

《논어, 위정편》에 나오는 이 글을 기반으로 사회복지사가 삶의 태도를 설명하는 세 가지 관점은 다음과 같다.

이해와 공감의 태도로 관찰한다. "그 행하는 바를 보고 그 이유를 살피며"는 다른 사람의 행동에 대한 깊은 이해를 강조한다. 사회복지사는 개인이나 집단의 어려움을 이해하고, 그들의 상황을 공감할 필요가 있다. 이를 통해 이해와 공감은 사회복지사가 클라이언트와 소통하고 도움을 제공할 때 중요한 기반을 제공한다.

주도적인 관찰과 분석의 태도를 가진다. "그가 편안히 여기는 것을 관찰하면"은 상황을 주도적으로 관찰하고 분석하는 능력을 강조한다. 사회복지사는 클라이언트의 행동, 상황, 그리고 주변 환경을 주의 깊게 살펴야 한다. 이를 통해 개인 또는 집단의 Bed-Side 방식으로 최적화된 도움을 제공할 수 있다.

투명하고 솔직한 소통을 한다. “어찌 자신을 숨길 수 있겠는가, 어찌 자신을 숨길 수 있겠는가?”는 솔직하고 투명한 소통의 중요성을 강조한다. 사회복지사는 클라이언트와의 관계에서 솔직하게 소통하고, 도움을 제공하는 과정에서 투명성을 유지해야 한다. 이는 신뢰를 쌓고, 클라이언트와의 협력 관계를 강화하는 데 도움이 된다. 이러한 태도를 갖춘 사회복지사는 클라이언트의 다양한 상황에서 민감하고 효과적인 도움을 제공한다.

인문학 코칭, 군자와 사회복지사

사회복지사는 다양한 개인과 집단을 상대로 업무를 수행하며, 이들의 어려움과 요구를 이해하고 지원하는 역할을 한다. '행하는 바를 보고 그 이유를 살피며'라는 문구와 관련하여, 사회복지사는 클라이언트의 행동과 상황을 주의 깊게 관찰하고 분석하는 능력이 필요하다. 클라이언트가 편안하게 느낄 수 있는 환경과 상황을 파악하고, 그들이 직면한 문제의 본질을 이해하는 것이 중요하다.

개인화된 서비스를 제공해야 한다. 사회복지사는 각 클라이언트의 독특한 상황을 이해하기 위해 깊이 있는 관찰과 분석 능력을 활용한다. 이를 통해 개인에 맞춘 서비스를 제공하고, 클라이언트의 욕구에 맞춘 서비스를 효과적으로 지원할 수 있다.

상황에 따른 유연한 대응을 한다. "어찌 자신을 숨길 수 있겠는가"라는 표현은 솔직한 소통과 열린 태도를 강조한다. 사회복지사는 클라이언트와 소통하면서 열린 마음가짐으로 상황을 받아들이고, 클라이언트가 자신의 어려움을 솔직하게 표현할 수 있도록 도와야 한다.

문제의 근본 원인을 정확히 파악한다. 행동과 이유를 살피는 것은 클라이언트의 어려움에 대한 근본적인 원인을 찾아내는 데 도움이 된다. 사회복지사는 이를 통해 클라이언트가 겪고 있는 문제를 효과적으로 개입할 서비스를 제공할 수 있다.

따라서, "그 행하는 바를 보고 그 이유를 살피며"라는 관점은 사회복지사의 업무역량에서 중요한 역할을 말한다. 문제 상황을 깊이 관찰하고 이해함으로써, 사회복지사는 민감하고 효과적인 지원을 제공할 수 있다.

사회복지인문학, 업무역량의 태도

사회복지사의 업무역량은 서비스를 제공받는 클라이언트의 자립과 직접적인 연관이 있다. 사회복지사는 클라이언트의 다양한 상황들을 정확하게 관찰하고 신속히 대응하는 태도가 필요하다. 신속한 대응을 위한 업무역량의 세 가지 태도는 다음과 같다.

심층적 이해와 분석 능력이 필요하다. "그 행하는 바를 보고 그 이유를 살피며"는 상황을 깊이 이해하고 분석하는 능력을 강조한다. 사회복지사는 개인 또는 집단의 어려움을 다각도로 이해하고, 문제의 근본 원인을 파악하는 능력이 필요하다. 이를 통해 정확한 문제 인식과 개인화된 서비스를 제공할 수 있다.

적극적이고 체계적인 관찰과 평가가 필요하다. "그가 편안히 여기는 것을 관찰하면"은 현장에서 상황을 지속적으로 관찰하고 평가하는 능력을 강조한다. 사회복지사는 클라이언트의 상태와 변화를 체계적으로 관찰하고, 필요에 따라 프로그램이나 서비스를 조정할 수 있어야 한다. 이를 통해 개선점을 빠르게 파악하고 개입할 수 있다.

투명하고 개방적인 의사소통 능력이 필요하다. "어찌 자신을 숨길 수 있겠는가, 어찌 자신을 숨길 수 있겠는가?"는 소통의 투명성과 개방성을 강조한다. 사회복지사는 클라이언트와의 소통에서 열린 태도를 유지하고, 이해하기 쉽고 친절한 언어를 사용하여 상호작용해야 합니다. 이를 통해 클라이언트는 믿음을 갖고 자신의 어려움을 나누기 쉬워진다.

사회복지사 실천법

- 실제 상황을 관찰하고 기록하라.
- 자료를 수집하고 분석하라.
- 사례 연구와 팀 회의에 참여하라.

사회복지사가 관찰과 분석력을 향상시키기 위해서는 다음의 세 가지 실천법이 있다.

사회복지사는 현장에서 직접 클라이언트와 상호작용하면서 실제 상황을 관찰하는 것이 중요하다. 이때 관찰은 비언어적인 신호부터 환경적인 조건까지 포괄적으로 이루어져야 한다. 실제 상황을 관찰하고 기록함으로써, 개별 클라이언트의 특성과 요구사항을 더 정확하게 이해할 수 있으며, 이는 향후 서비스 계획 및 개입에 도움이 된다.

자료수집과 분석 능력은 사회복지사의 전문성을 높일 수 있다. 통계, 인터뷰, 설문 조사 등 다양한 방법을 사용하여 데이터를 수집하고, 이를 통계적으로 분석하거나 주관적인 내용을 추출하여 상황을 더 깊게 이해할 수 있다. 이는 정확한 문제 파악과 효과적인 개입 방안을 도출하는 데에 도움이 된다.

사례 연구과 팀 회의를 실시한다. 다양한 사례 연구를 통해 비슷한 상황에서 발생하는 패턴이나 특징을 파악하고, 이를 통해 향후 상황에 대한 예측과 대응 능력을 키울 수 있다. 또한, 팀 회의에 적극적으로 참여함으로써 동료들과 의견과 관점을 수렴하고 분석할 수 있다. 팀 내의 토의와 피드백은 사회복지사에게 새로운 아이디어와 시각을 제공한다.

이러한 실천법들은 사회복지사가 현장에서 더 나은 업무 역량을 갖추고 클라이언트에게 최적화된 복지서비스를 제공하는 데 큰 힘이 된다.

4. 진심으로 소통하라

"교묘한 말을 하고 얼굴빛을 꾸미는 사람 가운데 어진 이가 드물다."
《논어, 학이편》

위 문장은 《논어, 학이편》에 나온 말로, 교묘한 행동과 허영심을 자신 사람은 솔직하기 어렵다는 뜻이다. 이를 사회복지사가 실천할 수 있는 방법으로 정리하면 다음과 같다.

솔직하고 투명한 의사소통을 하라, 사회복지사는 클라이언트와의 소통에서 솔직하고 투명해야 한다. 감정이나 정보를 감추지 않고, 존중과 신뢰를 가지고 상호 간의 이해를 도모해야 한다. 사회복지사는 클라이언트의 권익을 보호하고, 사회의 공익을 위해 일해야 한다. 클라이언트의 권익을 침해하거나, 사회의 공익을 지키도록 윤리적 가치를 준수하고, 클라이언트와 사회의 이익을 위해 최선을 다해야 한다.

허영심 없는 봉사 정신을 가져야 한다. 사회복지사는 자기 자신의 이익이나 허영심을 따지지 않고, 클라이언트의 복지와 만족을 최우선으로 생각해야 한다. 자신의 명예나 성과보다는 사회적 가치와 공정한 서비스 제공에 초점을 맞춰야 한다.

진심을 다하는 태도를 가져야 한다. 사회복지사는 클라이언트의 입장에서 복잡하고 어려운 절차나 언어보다는 간단하고 명료한 방식으로 서비스를 안내하고 제공해야 한다. 사회복지사는 클라이언트의 어려움을 이해하고 해결하기 위해 진심을 다해야 합니다. 교묘한 말이나 꾸밈없는 얼굴빛으로 클라이언트의 마음을 얻으려 해서는 안 된다. 진심으로 클라이언트를 대하고, 클라이언트의 입장에서 생각하며 문제를 해결하려는 노력이 필요하다.

인문학 코칭, 군자와 사회복지사

공자의 말에서 나타나는 '서(恕)'는 타인에 대한 이해와 양해를 의미한다. 군자의 관점에서, 이는 자기 희생과 타인을 배려하는 자기통제의 태도를 말한다. 군자는 자신의 불편함을 감수하면서도 타인을 이해하고 양해하는 데 가치를 두는 것처럼, 사회복지사도 클라이언트의 욕구 상황을 이해하고 존중하는 데 중점을 두어야 한다.

하지만, "하기 싫은 일을 남에게 시키지 않는 것"이라는 부분에서 나타나는 자기책임의 태도는 군자의 관점에서 강조되는 부분이다. 군자는 어려움을 회피하지 않고 도전으로 삼아 성장하려는 자세를 가지고 있다. 이는 사회복지사가 클라이언트를 자기책임과 도전의 의식으로 이끌어 내어, 자립성을 증진시키는 데 상응할 수 있다. 사회복지사는 클라리언트 중심의 태도를 가지고 있다. 클라이언트와의 상호작용에서 그들의 입장을 이해하고 효과적인 서비스를 제공하기 위해 노력하는 가치를 말한다. 클라이언트의 상황과 요구를 최우선으로 고려하여 효과적인 지원을 제공하는 것이 사회복지사의 주요 역할이다.

사회복지사와 군자는 공통적으로 타인을 배려하고 그들의 입장을 이해하는 마음가짐을 가져야 한다. "아마도 서(恕)일 것이다!"는 상황과 상대방을 이해하며 배려하는 태도를 말한다. 둘 다 자신의 편리함을 위해 타인에게 불필요한 행동을 시키지 않는 것을 너머, 서로의 입장을 고려하여 협력하고 예의 바른 태도를 가져야 함을 말한다.

사회복지인문학, 소통의 태도

사회복지사는 공자의 지혜를 통해 다음과 같은 소통의 태도를 실천할 수 있다. 클라이언트와 소통에서 공감과 이해의 태도가 필요하다. 클라이언트를 존중하고 배려하는 마음은 클라이언트의 자립을 돕는 지지와 적절한 서비스 제공의 시작이 된다.
공감과 이해가 필요하다. 사회복지사는 클라이언트의 어려움과 감정을 공감하고 이해하는 능력을 가져야 한다. 클라이언트의 상황을 심층적으로 파악하고 그들의 감정에 공감하면서 서비스를 제공하면, 신뢰 관계가 형성되고 클라이언트는 더 효과적으로 지원을 받을 수 있다.
존중과 배려가 필요하다. 사회복지사는 모든 클라이언트를 동등하게 대우하고, 그들의 가치관과 신념을 존중해야 한다. 문화의 차이, 신념의 차이, 성별 등을 인정하며 다양성을 존중하는 태도가 필요하다. 클라이언트가 자신을 안전하게 느끼고 자유롭게 이야기할 수 있도록 배려하는 것이 중요하다.
적절한 서비스의 제공과 함께 자립 존중이 필요하다. 사회복지사는 클라이언트가 가능한 한 자립할 수 있도록 지원해야 한다. 필요한 도움을 제공하면서도 클라이언트의 능력과 자원을 최대한 활용하도록 도움을 주는 것이 중요하다. 그들의 자립을 존중하고, 지속적으로 필요한 지원이나 교육을 제공하여 장기적인 성장을 지원하는 태도가 필요하다.

사회복지사 실천법

- 인권과 권리을 존중하라.
- 다양성을 인정하라.
- 자립을 지원하라.

사회복지사는 클라이언트의 인권과 권리를 존중해야 한다. 상호존중과 개인의 의사를 존중하는 관점에서, 사회복지사는 클라이언트의 의견과 욕구를 듣고 존중하는 자세를 취해야 한다.

뿐만 아니라, 프라이버시와 개인정보 보호를 위한 적절한 절차를 준수해야 한다. 클라이언트의 개인정보는 신중하게 다루어져야 하며, 정보를 수집하고 공유할 때에는 클라이언트의 동의를 받아야 한다. 이는 클라이언트의 개인적인 사적인 정보에 대한 권리를 보호하고 존중하는 것을 의미한다.

사회복지사는 클라이언트의 다양성을 이해하고 존중해야 한다. 클라이언트의 성별, 나이, 장애, 문화, 종교 등 다양한 배경을 이해하고, 이를 존중하는 태도가 필요하다. 클라이언트의 배경과 경험을 이해하기 위해 노력해야 하고, 클라이언트의 다양성을 인정하고 다양한 요구를 충족하기 위해 노력해야 한다.

사회복지사는 클라이언트의 자립을 지원해야 한다. 클라이언트가 스스로 문제를 해결하고, 사회 구성원으로서 역할을 할 수 있도록 돕는 태도가 필요하다. 구체적인 방법으로 클라이언트가 스스로 문제를 해결할 수 있도록 돕는 것, 클라이언트의 자원과 역량개발을 위해 지원하기, 클라이언트가 사회 구성원으로서 역할을 할 수 있도록 지원하기 등이 있다.

사회복지사가 논어 학이편의 가르침을 클라이언트를 대하는 태도로 실천한다면, 사회복지의 목적인 '개인의 만족스러운 삶'을 실천하는데 영향을 미칠 수 있다.

5. 과거에서 지혜를 얻어라

"옛 것을 익히고 새로운 것을 안다면 스승이 될 수 있다." 《논어, 위정편》

논어 위정편에 소개된 "옛것을 익히고 새로운 것을 안다면 스승이 될 수 있다."는 구절을 기반으로 사회복지사가 과거를 통해 성장하는 삶의 태도는 세 가지로 정리할 수 있다. "과거의 경험을 통한 교훈", "문화 다양성을 이해하는 감수성" 그리고 "전통과 현대를 고려한 전문성"을 배울 수 있다.

과거의 지혜를 통한 교훈 얻기이다. 논어의 구절에 따르면, '옛것을 익히기'는 과거의 지혜와 경험을 습득하라는 것이다. 사회복지사는 사회복지의 역사를 꼼꼼히 공부함으로써, 과거의 성공과 실패 사례로부터 교훈을 얻어 효과적인 사회복지 서비스를 제공할 수 있다.

다양성을 이해하는 문화 감수성 향상이다. '새로운 것을 안다'는 부분은 새로운 지식과 다양성을 습득하라는 의미를 담고 있다. 과거의 가치와 문화를 이해하고 새로운 정책과 정보를 배운다면 사회복지현장에서 더 나은 정책으로 실행할 수 있다.

전문성의 균형을 통한 효과적인 서비스를 제공한다. 논어에서는 스승이 되기 위해 "옛것을 익히고 새로운 것을 안다."라고 언급하고 있습니다. 이에 대응하여, 사회복지사는 전통방식과 현시대에 맞춘 정책을 비교분석하는 것만으로도 효과적인 사회복지 서비스를 제공할 수 있다.

인문학 코칭, 군자와 사회복지사

이 인용 구절에서는 "옛 것을 익히고 새로운 것을 안다면 스승이 될 수 있다."는 말을 통해 군자와 사회복지사의 태도를 비교하고 있다. 첫째로, 군자는 옛것과 새로운 것을 익히며 스승이 될 수 있는 능력을 말한다. 이는 지식과 역량의 지속적인 강화를 통해 성공적인 사회복지사가 되기 위한 필수적인 태도를 시사한다.

둘째로, 군자와 사회복지사는 성장과 나눔의 태도에 중점을 둔다. 군자는 나눔과 공유를 통해 성장하고 다른 이들의 성장에 기여해야 스승이 될 수 있다고 강조하고 있다. 비슷하게, 사회복지사도 자신의 지식을 나누고 클라이언트의 성장을 돕는 역할을 수행함으로써 효과적인 사회복지 실천자로 성장할 수 있다.

마지막으로, 군자와 사회복지사는 존경과 스승 역할에 대한 태도를 공유하는 사람이다. 군자의 말은 다양한 지식을 존경하고 스승이 될 수 있는 자세를 강조하고 있다. 사회복지사도 이와 유사하게 팀원,과 클라이언트를 존중하고 그들의 입장을 이해하는 태도를 가짐으로써 스승의 역할과 배우는 사람의 태도를 가질 수 있다. 군자와 사회복지사는 지식과 존중을 기반한 성장과 협력의 태도를 가져야 자신의 분야에서 더 나은 전문가로 성장할 수 있다.

사회복지인문학, 팀워크

사회복지 현장에서 선후배 사이에 정보를 전달하고 소통하는 것은 조직 내 협력을 강화하고 전문성을 공유하는 데 도움이 된다. 세 가지 장점은 다음과 같다.

업무의 효율성 향상이다. 선후배 간의 정보 전달과 소통은 업무 효율성을 향상시킨다. 선배는 자신의 경험과 지식을 후배에게 전달함으로써, 후배는 더 빠르게 업무를 이해하고 필요한 기술과 접근법을 습득할 수 있다. 이는 팀 내에서의 협력과 의사소통을 강화하여 업무의 원활한 진행을 돕는다.

전문성 공유와 개발 기회 제공이다. 선후배 간의 소통은 전문성의 공유와 개발을 촉진한다. 선배는 자신의 전문 분야 지식을 후배에게 전수하면서, 후배는 새로운 지식과 기술을 배울 수 있다. 이러한 지식 전달과 교환은 조직 내에서의 전문성을 향상고, 선후배 간의 지속적인 교류를 성장의 기회가 된다.

조직 내 팀워크와 동료 간 신뢰 구축이다. 정보 전달과 소통은 선후배 간의 신뢰와 팀워크를 강화한다. 선배가 정보를 열린 마음으로 나누고, 후배가 적극적으로 학습하고 의견을 나눔으로써, 팀 내의 협력이 증진된다. 이는 각 구성원 간의 신뢰를 높이고, 공동의 목표를 향해 협력하는 팀 문화를 유지하는 데 도움이 된다.

이러한 방식으로 팀내 선후배 간의 정보 전달과 소통은 조직 내에서의 협력은 물론이고 전문성의 증진, 그리고 팀워크의 강화에 효과적이다.

사회복지사 실천법

- 정기적인 회의로 정보를 업데이트한다.
- 팀원 간 열린 소통의 환경을 조성한다
- 팀원 간 자유로운 피드백 문화를 구축한다.

팀원 간 주기적인 회의를 개최해 정보를 업데이트한다. 팀원 간의 정기적인 회의를 통해 업무 진행 상황을 공유하고, 과제나 문제점을 함께 토론한다. 이를 통해 팀원들은 서로의 업무를 이해하고 협력할 수 있는 기회가 된다. 주요 프로젝트나 사건에 대한 정보를 팀원들에게 즉시 공유하여 각자가 가진 최신정보를 공유해야 한다. 이는 팀원들 간의 협력을 증진시키고 중복된 노력을 방지할 수 있는 방법이다.

팀원 간 열린 소통의 환경을 조성한다. 업무 이의 정기적인 팀 빌딩 활동으로 팀원 간의 유대감을 증진시키고 친밀도를 형성한다. 이는 업무상의 소통을 원할하게 하고, 팀원 간의 신뢰관게를 구축할 수 있다. 의견수렴과 존중의 태도로 다양한 의견과 아이디어를 수렴하는 팀 문화를 조성한다. 팀원들이 자유롭게 의견을 나누고 토론할 수 있는 환경을 만들면 창의성과 협력이 가능하다.

팀원 간 자유로운 피드백 문화를 구축한다. 정기적인 피드백 세션을 통해 업무 성과, 협업 스킬, 의사소통 능력 등에 대한 정기적인 피드백 세션을 개최한다. 이를 통해 팀원들은 자신의 강점과 약점을 인지하고, 계속해서 성장할 방향을 찾을 수 있다.

긍정적인 피드백을 통해 팀원들 간에 서로를 격려하고 감사의 마음을 나누는 것은 팀의 분위기를 향상시키고 협력을 강화하는 데 기여한다. 이러한 실천법을 통해 사회복지 현장에서 팀원 간의 소통을 강화할 수 있으며, 팀의 협력과 효율성을 높일 수 있다.

옛 경험과 지식을 통해 배우는 사회복지사의 태도는 성장과 전문성 향상을 돕는다. 과거의 경험은 지혜를 축적하고, 실패와 성공은 교훈을 제공하여 효과적인 문제해결능력을 키우고, 이러한 팀워크의 학습 과정은 지속적인 전문성 향상과 클라이언트와의 관계 구축에 도움을 준다.

사회복지 인문학

행동

6. 실행만이 답이다

"군자는 말이 어눌하나 행동은 민첩하게 해야 한다." 《논어, 이인편》

"행동은 민첩하게"라는 공자의 말은 상황에 빠르게 대응하고 적절한 행동을 취하는 능력을 강조한다. 사회복지사가 현장에서나 클라이언트와의 소통에서 민첩한 행동을 보여주면, 급박한 상황에서 신속하게 지원을 제공할 수 있다. 이는 클라이언트의 긴급한 요구에 빠르게 대응하고, 사회복지 현장에서의 효과적인 서비스 제공에 도움이 된다.

"말은 어눌하나"라는 표현은 말로만 설명하는 것이 아니라 실제 행동을 통해 도움을 제공해야 한다는 의미를 내포하고 있다. 사회복지사가 실행력을 통해 말보다는 행동으로 실질적인 도움을 제공하면, 클라이언트는 보다 강한 신뢰를 형성할 수 있다. 긍정적인 행동과 결과를 통해 사회복지사와의 소통이 더욱 효과적으로 이루어질 수 있다.

논어의 내용은 군자가 행동에서 민첩해야 한다고 강조하고 있다. 사회복지사가 현장에서나 클라이언트와의 소통에서 민첩한 행동을 보여주면, 사회적 문제에 대한 효과적인 대처 능력을 시사한다. 사회복지 현장은 빠르게 변화하는 환경이기 때문에, 민첩한 행동력은 문제에 대한 신속한 대응과 적절한 대처를 가능케 하여 효과적인 사회복지 서비스를 제공하는 데에 기여한다.

공자가 말하는 군자의 태도 중 실행력의 중요성을 사회복지사의 관점으로 해석한다면, 사회복지사가 사회복지 현장이나 클라이언트와의 소통에서 실행력이 중요한 이유는 급박한 상황에 신속하게 대응하고, 행동을 통해 민첩하게 도움을 제공하여 신뢰를 구축하며, 변화와 대처 능력을 강조하여 효과적인 사회복지 서비스를 제공하기 위함이다.

빠른 대응과 실질적인 행동이 중요하다. 사회복지사는 클라이언트의 급한 문제에 신속하게 대응하고 실질적인 행동을 통해 해결해야 한다. 말보다는 실제로 도움이 되는 조치를 취함으로써 클라이언트에게 필요한 지원을 즉각적으로 제공하는 것이 중요하다.

네트워크 활용과 자원을 결합한다. 군자는 상황에 따라 다양한 수단과 자원을 활용해 문제를 해결하는 데 능숙하다. 사회복지사도 마찬가지로 클라이언트의 급한 문제를 해결하기 위해 네트워크를 적극적으로 활용하고 다양한 자원을 효과적으로 결합해야 한다.

장기적인 안정을 위한 계획을 수립한다. 군자의 행동은 오랜 기간 동안 안정과 발전을 추구하는 데 기여한다. 사회복지사는 클라이언트와 함께 긴급한 문제를 극복한 후에도, 장기적인 안정을 위한 계획을 수립해야 한다. 이를 통해 클라이언트가 장기적으로 필요한 지원을 받을 수 있도록 도움을 제공하게 된다.

이러한 방법들은 "군자는 말은 어눌하나 행동은 민첩하게 해야 한다."의 정신과 부합하여, 말보다 실질적인 행동과 네트워크를 통한 자원 활용, 장기적인 안정을 고려한 접근을 강조한다.

사회복지인문학, 실행력

사회복지 현장에서 급한 문제에 대처하는 과정에서 사회복지사의 실행력은 매우 중요하다. 이는 클라이언트의 긴급한 요구에 신속하게 대응하고 지속적인 지원을 제공하여 복지의 향상을 도모하기 위한 핵심 능력으로 꼽힌다.

첫째, 급한 문제의 신속한 대응이 생명을 보호할 수 있다. 사회복지 현장에서 다양한 사람들이 다양한 어려움에 직면하고 있는데, 이 중에서 일부는 긴급한 상황에 처할 수 있다. 따라서 실행력은 긴급한 상황에서 신속하게 적절한 조치를 취해서 생명을 지키는 중대한 역할을 한다.

둘째, 실행력은 지역사회에 긍정적인 영향을 미칠 수 있다. 사회복지사가 뛰어난 실행력을 발휘하여 급한 문제를 해결하면, 이는 지역사회의 안전과 안정성에 긍정적인 영향을 미친다. 이러한 긍정적인 효과는 사회적 관계를 강화하고, 장기적인 사회적 발전을 촉진하는 데에 이바지한다.

셋째, 급한 문제에 효과적으로 대응하는 실행력은 클라이언트와의 신뢰 관계를 형성하는 기반이 된다. 클라이언트는 자신의 급박한 상황에 빠르게 대응하는 사회복지사에게 높은 신뢰를 가지게 된다. 이는 클라이언트가 향후 발생할 수 있는 어려움에 대해 사회복지사에게 더욱 열린 마음으로 의지하게 만든다.

결과적으로 사회복지 현장에서 급한 문제를 해결하는 데 있어서 사회복지사의 실행력은 생명을 지키고, 지역사회를 발전시키며, 클라이언트와의 강력한 신뢰 관계를 형성하는 중요한 도구로 작용한다. 이러한 실행력은 사회복지사가 고도로 도전적이고 민감한 현장에서 성공적으로 일을 수행하는 데 필수적인 능력으로 부각되고 있다.

사회복지사 실천법

- 우선순위를 정하라.
- 효과적인 네트워크를 구축하라.
- 지속적인 모니터링을 하라.

급하게 처리해야 할 사안에 대처할 때, 사회복지사는 우선순위를 정하고 신속하게 상황을 평가해야 한다. 어떤 문제가 가장 급박하고 심각한지를 판단하고, 해당 문제에 우선적으로 대응함으로써 효과적으로 급한 상황을 해결할 수 있다. 예를 들어, 클라이언트 중에서 긴급한 의료 도움이 필요한 사람이 있다면, 이를 우선적으로 처리하고 나머지 사안들은 그에 따라 조치를 취할 수 있다.

사회복지사가 효과적인 네트워크 구축을 위해 실행할 수 있는 실천법은 다양한 전략과 기술을 활용하여 다양한 이해관계자들과 연결하고 협력하는 데 중점을 둘 수 있다. 먼저, 지역사회 내에서 핵심 인터페이스를 찾아내어 이해관계자들과의 관계를 강화하기 위해 주민 모임, 지역 이벤트와 커뮤니티 프로그램에 참여하여 지역 사회 구성원들과의 유대감을 형성할 수 있다. 다양한 사회기관과 비영리 단체, 기업과의 파트너십을 강화하는 것이 중요하다. 이를 통해 다양한 서비스와 자원을 효율적으로 활용할 수 있고, 클라이언트에게 다양한 지원을 제공할 수 있다. 이러한 파트너십은 사회복지사의 전문성을 높이고, 효과적인 서비스를 제공한다.

급한 상황에서도 계획 수립이 중요하다. 사회복지사는 급한 문제에 대한 즉각적인 조치를 취한 후, 장기적인 안정을 위한 계획을 수립해야 한다. 이 계획에는 문제의 원인을 해결하고 클라이언트가 지속적인 지원을 받을 수 있도록 하는 목표와 단계적인 계획이 포함된다. 또한, 지속적인 모니터링을 통해 계획의 진행 상황을 체계적으로 파악하고 필요에 따라 조치를 조정할 수 있다.

이러한 실천법들은 급한 상황에서의 효과적인 대응을 가능케 하며, 긴급한 문제에 대한 신속하고 체계적인 해결을 도모할 수 있다.

7. 신중하게 행동하라

"군자는 진중하지 않으면 위엄이 없고, 배우더라도 견고하지 못하다. 충심과 믿음을 중시하고 자기보다 못한 자를 벗으로 삼지 말며, 잘못하면 즉시 고치기를 주저하지 말아야 한다." 《논어, 학이편》

군자는 진중함과 위험이 있어야 책임감 있는 러다가 될 수 있다는 말로, 이를 사회복지사가 전문가로서 역할을 수행하는 데 실천하는 방법은 다음과 같다.

진중하고 신중한 태도를 유지해야 한다. 클라이언트나 협업하는 다양한 이해 관계자들에게 신뢰를 줄 수 있어야 한다. 위엄 있게 일하는 것은 신뢰 구축에 도움이 되며, 이를 통해 사회복지사의 역할과 목적을 보다 효과적으로 수행할 수 있다.

배우려는 자세를 가지고 지속적인 학습과 전문성 강화에 힘써야 한다. 현장에서 발생하는 다양한 상황과 문제에 대처하기 위해 지속적인 교육과 훈련을 통해 자신의 역량을 견고하게 유지해야 한다. 이를 통해 더 나은 서비스를 제공하고 문제 해결 능력을 향상시킬 수 있다.

충심과 믿음을 중시해야 한다. 사회복지사는 자신을 돌아보고 발전하는 자세를 갖는 것이 중요하다. 잘못된 행동이나 결정이 있을 경우 즉각적으로 인정하고, 필요하다면 개선을 위한 노력하는 태도가 중요하다. 학습과 자기계발을 통해 성장해야 함은 물론이고, 실수를 통해 성찰하는 태도는 전문성을 높일 수 있다.

인문학 코칭, 군자와 사회복지사

사회복지사는 군자의 진중함과 책임감의 태도를 통해 자기성찰의 태도를 실천할 수 있다.

사회복지사는 자신의 업무에서 항상 진중하고 책임감 있는 태도를 유지해야 한다. 이는 클라이언트나 협력자들에게 신뢰를 줄 뿐만 아니라, 본인의 전문성을 강조하고 업무의 중요성을 명확히 보여줄 수 있다. 위엄있는 모습으로 업무를 수행함으로써 성과를 더욱 향상시킬 수 있다.

충심과 믿음을 중시하는 것은 자기성찰의 시작이다. 사회복지사는 자신의 행동과 의사결정을 계속해서 돌아보고, 클라이언트와의 상호작용에서 배우는 경험을 통해 성장해야 한다. 지속적인 학습과 개발은 변화하는 사회적 상황에 대응하고, 업무 수행에 필요한 최신 지식과 기술을 확보하는 데 도움이 된다.

자기보다 못한 자를 벗으로 삼지 않고, 잘못이 있을 경우 주저하지 않고 인정하며 개선에 즉각적으로 착수하는 것이 중요하다. 성찰의 태도는 자신의 약점을 인식하고 이를 극복하는데 도움을 주며, 팀 내 협력과 성과 향상을 이끌어낼 수 있다.

이러한 방법들은 논어의 교훈을 토대로, 사회복지사가 업무에서 성찰의 태도를 채택하여 더 나은 서비스를 제공하고 개인적, 직업적 성장을 이룰 수 있도록 도와준다.

사회복지인문학, 성찰의 태도

책임감 있는 자세이다. 사회복지사는 클라이언트와의 상호작용에서 신중하고 책임감 있게 행동해야 한다. 자신의 실수를 발견했을 때는 이를 주저하지 않고 책임지고, 필요한 조치를 즉각적으로 취해야 한다. 책임감 있는 자세는 신뢰를 유지하고 클라이언트에게 안정감을 제공하는 데 도움이 된다.

자기성찰과 개선의 노력이다. 사회복지사는 자기성찰을 통해 자신의 행동과 결정을 꾸준히 평가해야 한다. 자신의 실수를 발견했을 때는 왜 발생했는지를 이해하고, 이를 피하고 개선하기 위한 노력을 기울여야 한다. 지속적인 자기성찰은 전문성을 향상시키며, 비슷한 상황에서의 재발 방지에 도움을 줄 수 있다.

열린 소통과 학습 문화의 구축이 중요하다. 사회복지사는 팀 내에서 소통의 중요성을 이해해야 한다. 자신의 실수를 타 팀원과 공유하고, 해당 상황에서 얻은 교훈을 팀과 나눔으로써, 팀 전체가 더 나은 방향으로 나아갈 수 있도록 돕는 것이 중요하다. 열린 소통과 학습 문화는 조직 전체의 성장과 발전에 기여할 수 있다.

사회복지사 실천법

- 정기적인 자기성찰과 반성을 하라.
- 지속적인 학습으로 역량을 키워라.
- 효과적인 팀 커뮤니케이션으로 협력하라.

주기적으로 자기성찰을 실시하고 자신의 업무 수행에 대해 정기적으로 반성하는 습관을 길러야 한다. 업무 후에는 자신의 의사결정, 상호작용, 그리고 클라이언트와의 소통에 대해 돌아보며 어떤 부분에서 개선이 필요한지 파악한다. 이러한 자기성찰을 통해 실수의 원인을 파악하고 재발 방지를 위한 조치를 취할 수 있다.

사회복지사는 계속해서 전문적인 지식을 습득하고 역량을 강화해야 한다. 업무 도중 발생할 수 있는 다양한 상황에 대비하고, 새로운 접근법이나 이론을 습득하여 적용함으로써 실수의 가능성을 최소화할 수 있다. 지속적인 전문적 학습은 업무의 복잡성에 대응하는데 도움을 주며, 전문성을 유지하는데 중요한 역할을 한다.

효과적인 팀 커뮤니케이션은 실수를 줄이는 데 큰 역할을 한다. 팀원들과의 열린 대화와 정보 공유는 각자의 경험에서 얻은 교훈을 토대로 서로에게 도움이 될 수 있다. 또한, 팀 내에서 협력적인 분위기를 조성하고 서로에게 피드백을 주고 받음으로써 강점과 약점을 파악하고 보완할 수 있다.

사회복지사가 군자의 진중함의 태도를 업무 현장에 적용하면, 문제 상황에서 신뢰를 유지하고 지속적인 개선을 통해 전문성을 유지할 수 있다. 클라이언트와의 관계에서 적극적이고 건설적인 태도를 유지하면서도, 업무의 도전에 대응하고 발전하는 데 주안점을 두는 것이 중요하다..

8. 믿음으로 시작하라

"사람이 신의가 없으면 그것이 옳은 것인지 알 수 없다. 큰 수레에 멍에가 없고, 작은 수레에 끌채가 없으면 어떻게 갈 수 있겠는가?" 《논어, 위정편》

사회복지사로서의 사명은 매우 중요하며, 이를 실천하기 위해 논어의 지혜를 참고할 수 있다. 본문의 "사람이 신의가 없으면 그것이 옳은 것인지 알 수 없다."라는 문구는 인간관계와 도덕적 책임에 대한 깊은 이해를 요구한다.

특히 사회복지사와 클라이언트 간의 신뢰는 상호작용에서 핵심적인 역할을 한다. 신뢰가 부재하면 다양한 문제가 발생할 수 있으며, 이는 클라이언트의 복지서비스 제공과 자립에 영향을 준다.

소통의 어려움과 불투명으로 사회복지사와 클라이언트 간의 소통이 어려워진다. 클라이언트는 자기 경험과 어려움을 솔직하게 나누지 않을 가능성이 높고, 사회복지사 역시 클라이언트를 충분히 이해하고 지원하는 데 어려움이 있다.

클라이언트는 자신이 신뢰할 수 있는 사람에게서 받는 지원에 긍정적인 영향을 받는다. 신뢰 부재로 인해 사회복지사와의 관계가 소원해지면, 클라이언트는 프로그램에 대한 신뢰를 잃게 되고, 이로 인해 지원의 효과가 떨어지거나 프로그램 참여의 중단과 같은 결과로 이어진다.

사회복지사와 클라이언트 간 신뢰의 부재는 클라이언트의 자립을 어렵게 한다. 사회복지사가 클라이언트를 신뢰하지 않거나, 클라이언트가 사회복지사에 대한 불신을 품게 되면, 상호작용은 원활하지 않게 된다. 이는 클라이언트가 자신의 문제에 대한 책임을 느끼지 못하게 하고, 결국은 사회복지 서비스의 궁극적인 목표인 자립에 영향을 미치게 된다.

인문학 코칭, 군자와 사회복지사

사회복지사로서의 역할은 단순히 클라이언트에게 재화와 자원을 제공하는 것을 넘어, 그들의 자립을 촉진하여 지속 가능한 도움을 제공한다. 이러한 목표를 달성하기 위해 사회복지사는 다양한 방법으로 클라이언트의 자립을 강화할 수 있다.

개인화된 자립 계획을 수립한다. 자립은 각 개인의 상황과 필요에 따라 다르게 정의된다. 사회복지사는 클라이언트와 긴밀한 상담을 통해 개인화된 자립 계획을 수립해야 한다. 이 계획은 클라이언트의 강점, 요구사항, 목표, 자원 등을 고려하여 맞춤형으로 구성되어야 한다. 개인화된 자립 계획을 통해 클라이언트는 자기 능력을 최대한 발휘할 수 있다.

지속적인 교육을 제공한다. 자립은 지식과 기술을 통해 높아질 수 있다. 따라서 사회복지사는 클라이언트에게 교육과 기술개발 프로그램을 제공하여, 자립에 필요한 역량을 강화해야 한다. 이러한 프로그램은 직업 훈련, 금융 관리, 취업 지원 등을 포함할 수 있다. 클라이언트가 주도적으로 삶을 살아가도록 경제적 안정과 사회참여의 기회를 지원해야 한다.

자립이 가능한 네트워크를 형성한다. 자립은 다양한 네트워크가 필요하다. 사회복지사는 클라이언트를 지원하는 자립 지원 네트워크를 형성하도록 지원해야 한다. 이는 가족, 친구, 지역사회, 다양한 지원 기관 등과의 협력을 통해 이루어질 수 있다. 사회적 연결과 지원체계를 강화함으로써 클라이언트는 자립의 동력을 높일 수 있으며, 이는 보다 건강하고 지속가능한 자립으로 이어질 수 있다.

사회복지인문학, 리더십

사회복지사는 클라이언트와의 신뢰 관계를 구축하기 위해 리더십을 발휘해야 한다. 이는 클라이언트를 지지하고 돕는데 있어서 적극적인 영향력을 행사함으로써 나타난다. 이에 대한 구체적인 세 가지 이유는 다음과 같다.

1. 도움의 지향성 제시와 목표 설정에 도움이 된다. 사회복지사의 리더십은 클라이언트에게 도움의 지향성을 제시하고 목표를 설정하는 데 도움이 된다. 리더십은 방향 제시와 목표 설정에 필요한 안내를 제공함으로써 클라이언트가 자신의 상황을 개선하는 데 필요한 방향을 찾도록 돕는다. 목표 설정은 클라이언트가 자신의 미래에 대한 책임을 느끼게 하고, 사회복지사와의 협력을 강화하여 신뢰관계를 구축하는 데 도움이 된다.

2. 긍정적인 영향력과 자기효능감이 증진된다. 리더십은 긍정적인 영향력을 통해 클라이언트의 자기효능감을 증진시킨다. 사회복지사가 적극적인 리더십을 통해 클라이언트에게 도움이 될 수 있다는 믿음과 자신감을 부여한다. 클라이언트는 자기 능력을 키우고 도전하는 용기를 갖게 된다. 이러한 영향력은 신뢰 관계를 강화하고, 클라이언트의 개인적 성공에 기여할 수 있다.

3. 의사소통과 신뢰 관계가 돈독해진다. 리더십은 상호간의 의사소통을 촉진한다. 이는 신뢰 관계의 핵심이다. 사회복지사가 리더십을 통해 적극적으로 의사소통을 이끌어내면, 클라이언트는 자신의 어려움을 더 쉽게 공유하고 신뢰할 수 있다.

사회복지사 실천법

- 솔직하고 책임있게 소통하라
- 관계회복을 위해 재상담하라
- 공동의 과제로 관계를 회복하라

사회복지사가 신뢰가 깨진 클라이언트와 관계 회복을 위해 실천할 수 있는 구체적인 방법은 다음과 같다.

솔직하고 책임 있는 소통을 하라. 신뢰가 깨진 상황에서 가장 중요한 것은 솔직하고 책임 있는 소통이다. 사회복지사는 클라이언트에게 발생한 실수나 오해에 대해 솔직하게 인지하고, 그 원인을 명확하게 설명해야 한다. 동시에, 사회복지사는 클라이언트의 감정과 의견을 듣고 수용하는 태도를 가져야 한다. 소통에서의 책임감은 상호 간에 이해와 신뢰를 새롭게 구축하는 데에 중요한 역할을 한다.

공감과 이해의 재구축을 위한 상담을 진행한다. 관계 회복을 위해서는 클라이언트의 감정과 경험을 공감하고 이해하는 과정이 필요하다. 사회복지사는 클라이언트와의 상담을 통해 감정을 자유롭게 표현할 수 있는 안전한 공간을 제공해야 한다. 클라이언트의 피드백에 민감하게 반응하고, 그들의 관점을 이해하는 노력을 해야 관계가 회복된다.

공동의 과제로 다시 협력하라. 신뢰가 깨진 상황에서는 협력적인 문제 해결과 신뢰 회복을 위한 계획 수립이 중요하다. 사회복지사와 클라이언트는 함께 문제의 근본 원인을 파악하고, 신뢰를 회복하기 위한 구체적인 계획을 수립해야 한다. 이때, 사회복지사는 클라이언트의 의견을 존중하고, 양측이 동의할 수 있는 방식으로 협력하여 문제를 해결하는 것이 중요하다. 계획 수립의 과정에서는 양측 간의 역할과 책임이 명확하게 정의되어야 하며, 이를 통해 상호간의 신뢰를 새롭게 다지는 데 도움이 된다.

이러한 구체적인 방법들을 통해 사회복지사는 신뢰가 깨진 클라이언트와의 관계를 지속적으로 회복하고, 상호간의 이해와 협력을 증진시킬 수 있다. 솔직한 소통, 공감과 이해를 통한 상담, 그리고 협력적인 문제 해결과 관계회복을 위한 계획은 상호간의 신뢰를 새롭게 구축하는데 중요한 역할을 한다.

9. 생각과 관계를 넓혀라

"군자는 두루 사귀고 편을 가르지 않지만, 소인은 편을 가르고 두루 사귀지 않는다." 《논어, 위정편》

사회복지사는 모든 이를 평등하게 대하며 두루 사귀는 태도가 필요하다. 논어에서 군자는 두루 사귀고 편을 가르지 않는다고 언급하고 있다. 이를 사회복지사가 현장에서 실천하기 위해서는 모든 이를 평등하게 대해야 한다. 사회복지사는 인종, 성별, 종교, 경제적 배경 등에 상관없이 모든 개인에게 존중하는 마음으로 배려하는 서비스를 제공해야 한다.

사회복지사는 개인의 특별한 상황을 이해하고 지원해야 한다. 군자는 편을 가르지 않는다는 원칙을 바탕으로, 사회복지사는 개인의 특별한 상황을 이해하고 이에 맞는 서비스와 재원을 지원해야 한다. 어떤 개인이 특정한 편에 속해 있다고 하더라도, 그들의 다양한 상황과 필요를 고려하여 공정한 서비스를 제공해야 한다.

사회복지사는 공정하고 투명한 정책과 프로세스 구축해야 한다. 소인은 편을 가르고 두루 사귀지 않는다는 맥락에서, 사회복지사는 공정하고 투명한 정책과 프로세스를 구축해야 한다. 특정 편에 편중되지 않고, 클라이언트가 동등하게 혜택을 받을 수 있도록 정책과 프로세스를 구축해야 한다. 공자가 말하는 군자의 태도인 두루 사람을 살피는 넓은 생각은 넓은 인간관계를 맺게 한다. 사회복지사의 편견과 선입견에게 벗어난 생각과 행동은 사회복지사로서 공정하고 평등한 서비스를 제공할 방향을 제시한다.

인문학 코칭, 군자와 사회복지사

사회복지사가 사회적 약자인 클라이언트에 대한 편견을 가지지 않고, 공정한 서비스 제공을 위해 실천할 수 있는 구체적인 태도는 다음과 같다.

클라이언트의 경험을 존중하고 공감한다. 인문학적인 태도 중 하나는 다양성을 존중하고 타인의 경험에 공감하는 능력이다. 사회복지사는 클라이언트들의 다양한 배경과 경험을 이해하고, 이를 존중해야 한다. 문학, 미술, 철학 등 인문학적 지식을 활용하여 각 클라이언트의 독특한 삶의 이해를 높이고, 그들의 경험에 공감하도록 노력해야 한다.

자신이 가진 선입편과 편견을 인식하고 개선한다. 인문학적 태도는 자기 선입견을 인식하고 개선하는 데 중요한 역할을 한다. 사회복지사는 자신이 가진 문화적, 사회적 선입견을 인지하고, 이를 클라이언트에 대한 편견으로 전이되지 않도록 주의해야 한다. 다양한 체험을 통해 자기 인식을 높여 나가는 노력이 필요하다.

비판적 사고를 기르고 지속적인 학습을 한다. 인문학적 태도는 비판적 사고와 지속적인 학습을 강조한다. 사회복지사는 자신의 시각을 인식하고 다양한 관점을 수용할 수 있는 능력을 키워야 한다. 합니다. 문학, 철학, 역사 등을 통해 사회의 다양성을 이해하고, 이를 기반으로 클라이언트와 소통하며 심층적인 이해를 도모해야 한다. 이러한 실천법들은 인문학적인 태도를 통해 사회복지사가 편견을 극복하고 클라이언트에게 공정하고 효과적인 서비스를 제공할 수 있도록 도와준다.

사회복지인문학, 편견과 선입견

사회복지사가 클라이언트와의 소통과정에서 생기는 편견과 선입견의 태도와 이를 극복하는 방법은 다음과 같다.

클라이언트의 사회적 부재는 개인의 성격 결함으로 해석하거나 책임을 클라이언트에게 전가할 수 있다. 사회복지사는 클라이언트의 부족한 사회성은 단순히 개인의 성격 결함이 아닌, 다양한 사회적, 환경적 영향으로 인한 결과일 수 있다. 사회복지사는 클라이언트의 개인적 특성 뿐만 아니라, 그들이 처한 사회적 맥락과 상황을 다양하게 고려해야 한다.

클라이언트의 비협조적인 행동은 개선이 어렵다는 편견을 가질 수 있다. 사회복지사는 클라이언트의 부족한 사회성을 단순한 부정적 특성으로 판단하지 말고, 클라이언트와의 소통과 협력을 통해 개선 가능성을 탐색해야 한다.

부족한 사회성을 가진 클라이언트는 사회에서 소외되어야 한다는 편견을 가질 수 있다. 사회복지사는 클라이언트를 사회적 소외의 대상으로 몰아넣는 편견을 피해야 한다. 대신에, 그들의 강점과 잠재력을 찾아내어 사회적 참여와 연결을 촉진하는 방향으로 노력해야 한다. 특히 세 가지의 편견과 선입견은 사회복지사가 클라이언트와의 관계에서 주의하고 극복해야 한다.

사회복지사 실천법

- 다양한 상황을 고려하라.
- 긍정적 소통과 협력을 촉진하라.
- 사회참여를 촉진하라.

클라이언트의 부족한 사회성을 평가할 때, 사회복지사는 그들의 개인적 특성 뿐만 아니라, 사회적 맥락과 상황을 다양하게 고려해야 한다. 이를 위해, 클라이언트와의 초기 상담 단계에서 맥락적 이해를 도출하기 위한 질문을 활용하고, 클라이언트의 생활 경험, 가족 구조, 문화적 배경 등을 존중하며 탐색한다.

클라이언트와의 소통과 협력을 촉진해야 한다. 사회복지사는 개방적이고 이해력 있는 태도가 필요하다. 편견을 극복하려면 클라이언트의 다양성을 존중하고 수용할 수 있어야 한다. 소통과 협력은 상호적인 신뢰와 이해를 바탕으로 이루어져야 한다. 사회복지사는 클라이언트의 이야기에 귀 기울이고, 그들의 감정과 경험을 존중하는 동시에, 비판적 사고를 유지하여 자신의 선입견을 극복해야 한다. 이러한 소통과 협력의 과정에서는 클라이언트와의 관계를 파악하고 공감하는 것이 중요하다. 함께 문제를 해결하고 목표를 달성하기 위한 협력은 상호적인 신뢰를 증진시키고, 결국에는 편견 없는 사회적 지원을 가능케 한다.

사회복지사는 군자의 두루 사귀기와 관련하여 클라이언트의 강점과 잠재력을 찾아내어 사회적 참여를 촉진하는 방법을 사용해야 한다. 클라이언트의 관심사, 기술, 역량을 파악하고, 이를 활용하여 사회적 그룹이나 활동에 참여하도록 도움을 준다. 또한, 클라이언트가 자신의 역량을 느끼고 사회적으로 통합될 수 있도록 지속적인 지원을 제공해야 한다.

이러한 구체적인 행동 방법을 통해, 사회복지사는 클라이언트의 부족한 사회성을 평가하고 개선하기 위해 편견을 방지한다면, 사회복지사와 클라이언트가 상생하는 상호관계를 만들 수 있다.

10. 만족하는 삶을 살아라

"거친 밥을 먹고 물을 마시고, 팔을 베개로 삼아 누워도 그 안에 즐거움이 있다. 의롭지 못한 부귀는 나에게 뜬구름과 같을 뿐이다."
《논어, 술이편》

논어에는 거친 밥과 물, 팔을 베개로 삼는 간소한 삶에서도 즐거움을 찾을 수 있다고 언급하고 있다. 이는 사회복지사가 클라이언트의 삶의 간소한 순간들을 중시하고, 그 안에 있는 소중한 가치를 인식하는 태도를 취해야 한다는 의미이다. 사회복지사는 클라이언트와 소통을 통해 그들의 가치, 욕구, 삶의 소소한 즐거움을 이해하고 이를 기반으로 개별화된 서비스를 제공해야 한다.

부귀에 대한 겸손한 태도와 공정한 서비스 제공한다. 의롭지 못한 부귀가 뜬구름과 같다는 표현은 물질적인 부의 중요성을 강조하는 것이 아닌, 의리와 정의의 중요성을 말한다. 사회복지사는 이를 바탕으로 부귀에 대한 겸손한 태도를 취하고, 서비스 제공 시 공정성을 유지해야 한다. 자원 지원에만 머무는 것이 아니라 클라이언트의 정당한 권리와 필요를 고려하여 서비스를 제공해야 한다.

논어에는 즐거움은 간소한 순간에서 찾을 수 있다고 언급하고 있다. 사회복지사는 이러한 간소한 즐거움을 통해 봉사의 의미를 깨달을 수 있다. 본연의 업무와 봉사의 마음을 통해 소통과 공정성의 가치를 실천한다면, 자신과 클라이언트에게 소소한 행복과 지지를 제공할 수 있다. 이러한 실천법들은 간소한 삶의 가치를 인식하고 이를 통해 클라이언트와 소통하며, 지지자로서 중요한 역할을 수행할 수 있다.

인문학 코칭, 군자와 사회복지사

군자는 소소하고 간소한 삶에 만족하는 태도를 보여준다. 이는 군자가 물질적인 풍요나 부귀보다는 내적인 만족과 정신적인 풍요를 중요시하는 철학을 가지고 있음을 말한다. 사회복지사는 군자와 마찬가지로 클라이언트의 일상적이고 소소한 삶에 주목해야 한다. 이는 클라이언트가 갖는 작은 성취나 즐거움을 인식하고 존중하는 것을 의미한다. 사회복지사는 물질적인 지원뿐만 아니라, 정서적인 지원을 통해 클라이언트가 소중하게 여기는 것들을 강조하고 지지해야 한다.

군자가 정의와 의리를 중시하며 부귀와 권력에 대한 욕망을 경계하는 태도를 말한다. 군자는 권력과 부귀보다는 올바른 길과 정의로 향하는 것을 가치 있게 여기는 태도를 말한다. 사회복지사는 클라이언트의 정의로운 권리와 공정한 기회를 존중하고 옹호해야 한다. 불평등과 불의에 맞서고, 클라이언트가 의롭게 살 수 있도록 지원하며, 사회적 정의를 추구하는 것이 사회복지사의 핵심 가치 중 하나이다.

군자는 부귀에 대한 태도를 가볍게 여기고, 소소한 행복이나 만족을 중시하는 사람을 말한다. 군자는 과도한 소유나 부귀가 행복을 가져오지 않는다는 가치관을 말한다. 사회복지사는 클라이언트의 욕구와 가치를 존중하면서도, 물질적 지원이나 경제적 도움을 통해 더 나은 생활 조건을 제공하는 해야 하고, 동시에 클라이언트의 정신적인 풍요와 삶의 질에도 중점을 두어야 함을 말한다. 자원뿐 아니라 정서적, 사회적 풍요를 추구하여 전체적인 '좋은 삶'을 지원해야 한다. 이와 같이 군자와 사회복지사의 태도를 비교하면서, 소소하고 간소한 삶에 대한 태도와 정의, 사회적 공평에 대한 중요성을 강조하는 공통된 가치를 발견할 수 있다.

사회복지인문학, 자기만족

사회복지사로서의 만족은 실적이 아닌, 인간의 가치에서 비롯된다. 사회복지사로서의 역할은 단순한 업무 수행이 아니라, 클라이언트와의 소통과 상호작용을 통해 인간의 삶에 미치는 긍정적인 영향을 창출하는 것이다. 클라이언트의 독특한 가치와 삶의 소소한 즐거움을 이해하고 존중하는 것이 중요하다.

사회복지사에게 자기만족은 클라이언트와의 긍정적인 관계에서 비롯된다. 개별화된 서비스를 제공하고 클라이언트와의 소통을 통해 그들의 가치와 욕구를 이해하며, 그들이 더 나은 삶을 찾아가도록 지원하는 것이 사회복지사에게 큰 만족감을 준다.

사회복지사에게 만족은 겸손하고 공정한 태도로 가능하다. 클라이언트의 정당한 권리와 필요를 최우선으로 고려하는 것이 자기만족을 가져다 준다. 사회복지사의 행동과 의사결정이 클라이언트의 만족도를 높이고 긍정적인 변화를 이끌어내는 데 기여할 때, 진정한 만족을 느낄 수 있다.

마지막으로 사회복지사에게 만족은 소소한 행복을 주고 받는 자원봉사자로서의 만족이다. 업무와 자원봉사를 통해 소소한 행복을 클라이언트에게 제공하고, 자신 또한 그들의 웃음과 감사함을 받을 때, 자기만족을 느낄 수 있다. 이는 봉사의 가치를 깨닫고, 서로에게 긍정적인 영향을 주고받을 때 생기는 뜻깊은 만족감이다.

사회복지사의 자기만족은 일의 가치를 정량적인 성과만으로 측정하는 것이 아니라, 인간의 가치에 주목하고 그들과 함께하는 순간에서 비롯된다. 사회복지사로서 이러한 접근을 통해 자기만족을 찾아가며, 클라이언트와 함께 보다 의미있는 삶을 만들 수 있다.

사회복지사 실천법

- 지역 자원을 탐색해 동행자를 발견하라..
- 온라인 소셜 미디어를 활용하라.
- 다양한 행사와 모임에 참여하라..

사회복지사가 자기만족을 위해 동행자를 찾는 지역 커뮤니티를 활용하는 방법은 다양하게 나타날 수 있다. 먼저, 지역 자원을 탐색하고 협력을 통한 동행자 발견이 중요하다. 지역 사회 센터나 봉사 단체와 연계하여 동행자를 찾는 데에 도움을 요청할 수 있다. 이들은 지역 사회의 다양한 서비스와 프로그램을 알고 있으며, 그들의 네트워크를 통해 적절한 동행자를 찾을 수 있는 가능성이 높다.

두 번째로는 온라인 소셜 미디어(SNS)를 효과적으로 활용하는 것이다. 지역 소셜 미디어 그룹이나 페이지에 가입하여 자기만족을 위한 동행자를 찾고자 하는 목적을 공유할 수 있다. 이를 통해 다양한 응답과 추천을 받을 뿐만 아니라, 더 넓은 지역 주민들과 연결되어 자기만족을 위한 동행자를 찾을 수 있는 기회를 얻을 수 있다.

마지막으로, 지역의 다양한 행사와 모임에 직접 참여하는 것이 효과적이다. 지역 예술 행사, 건강 프로그램, 자원봉사활동 등 다양한 행사에 참석하여 사람들과 소통하면서 자기만족을 위한 동행자를 찾을 수 있다. 이러한 실제 대면 소통을 통해 더 깊은 이해와 연결이 가능하며, 지역 커뮤니티 내에서 지속적인 관계를 형성할 수 있다.

이와 같이 다양한 방법을 통해 사회복지사는 지역 커뮤니티를 활용하여 자기만족을 위한 동행자를 찾을 수 있다. 지역 자원을 활용하고 온라인과 오프라인을 융합하는 종합적인 전략은 효과적인 네트워킹과 지역사회와의 협력을 통해 보다 의미 있는 동행자를 찾는데 기여할 것이다.

사회복지 인문학

관계

11. 사람이 중심이다

"이익을 좇아 행동하면 원망이 많아진다." 《논어, 이인편》

인간애와 공익을 중시하는 태도이다. 논어에서 군자는 인간관계에서 인간애와 공익을 중시하는 태도를 지닌다. 비슷하게, 사회복지사도 군자와 같이 인간애와 공익을 바탕으로 업무를 수행해야 한다. 군자처럼, 사회복지사는 클라이언트와의 관계에서 이해심을 가지고, 그들의 복지와 행복을 최우선으로 생각해야 한다. 논어의 인간애와 공익을 중시하는 태도는 사회복지사에게 클라이언트의 존엄성과 사회적 정의를 존중하며, 복지 서비스를 통해 전반적인 공익을 추구하는 데에 영감을 줄 수 있다.

자기 계발과 지식의 강화이다. 군자의 태도는 지식의 확장과 자기 계발에 대한 강조를 포함한다. 마찬가지로, 사회복지사도 지속적인 전문성의 강화와 자기 계발을 통해 최신 지식과 기술을 습득해야 한다. 사회복지 분야는 끊임없이 변화하고 발전하므로, 전문가로서의 업무 수행을 위해서는 학습과 지식 습득이 필수적이다. 군자처럼 사회복지사도 자기 계발을 통해 끊임없는 학습과 성장을 추구하여 클라이언트에게 더 나은 지원을 제공할 수 있다.

도덕적 책임과 신뢰의 구축이다. 논어에서 군자는 도덕적 책임과 신뢰를 높이 평가받는 자세를 강조한다. 이는 사회복지사에게도 적용된다. 사회복지사는 도덕적인 행동과 투명성을 보여야 하며, 클라이언트와의 신뢰를 구축하는 데 중요한 역할을 한다. 군자와 같이, 사회복지사도 도덕적 책임을 이행하고, 신뢰를 기반으로 클라이언트와의 상호작용을 처리해야 한다. 신뢰는 사회복지사의 서비스가 효과적이고 올바르게 이루어지도록 보장하며, 클라이언트와의 긍정적인 관계를 유지하는 데에 중요한 역할을 한다.

이러한 측면들을 통해 군자와 사회복지사는 인간애와 공익 중시, 지식의 강화, 도덕적 책임과 신뢰의 구축에 대한 공통된 가치와 태도를 공유하고 있다.

인문학 코칭, 군자와 사회복지사

논어에서 군자는 인간관계에서 인간애와 공익을 중시하는 태도를 지닌다. 비슷하게, 사회복지사도 군자와 같이 인간애와 공익을 바탕으로 업무를 수행해야 한다. 군자처럼, 사회복지사는 클라이언트와의 관계에서 이해심을 가지고, 그들의 복지와 행복을 최우선으로 생각해야 한다. 논어의 인간애와 공익을 중시하는 태도는 사회복지사에게 클라이언트의 존엄성과 사회적 정의를 존중하며, 복지 서비스를 통해 전반적인 공익을 추구하는 데에 영감을 줄 수 있다.

군자의 태도는 지식의 확장과 자기 계발에 대한 강조를 포함한다. 마찬가지로, 사회복지사도 지속적인 전문성의 강화와 자기 계발을 통해 최신 지식과 기술을 습득해야 한다. 사회복지 분야는 끊임없이 변화하고 발전하므로, 전문가로서의 업무 수행을 위해서는 학습과 지식 습득이 필수적이다. 군자처럼 사회복지사도 자기 계발을 통해 끊임없는 학습과 성장을 추구하여 클라이언트에게 더 나은 지원을 제공할 수 있다.

《논어》에서 군자는 도덕적 책임과 신뢰를 높이 평가받는 자세를 강조한다. 이는 사회복지사에게도 적용된다. 사회복지사는 도덕적인 행동과 투명성을 보여야 하며, 클라이언트와의 신뢰를 구축하는 데 중요한 역할을 한다. 군자와 같이, 사회복지사도 도덕적 책임을 이행하고, 신뢰를 기반으로 클라이언트와의 상호작용을 처리해야 한다. 신뢰는 사회복지사의 서비스가 효과적이고 올바르게 이루어지도록 보장하며, 클라이언트와의 긍정적인 관계를 유지하는 데에 중요한 역할을 한다.

사회복지인문학, 자기철학

자아의 탐구와 정체성의 확립. 사회복지사가 자기 철학을 중요시하는 이유 중 하나는 자아의 탐구와 정체성의 확립에 있다. 인문학의 관점에서는 자기의 가치관, 윤리적 신념, 인간관, 그리고 세상에 대한 태도를 탐구하고 이해함으로써 개인의 정체성이 더욱 확고해질 수 있다. 사회복지사에게 자기 철학은 자신이 수행하는 업무에 대한 명확한 목표와 원동력을 준다.

윤리적 결정과 전문가로서의 책임감 강화. 사회복지사는 종종 윤리적인 고민에 직면하게 된다. 어떤 가치를 중시하며, 어떤 윤리적 원칙을 따를 것인가는 사회복지사의 업무에서 중요한 결정 사항 중 하나이다. 자기 철학을 정립하고 강화함으로써, 사회복지사는 윤리적인 문제에 대한 개인적인 판단 기준을 가질 수 있다. 이는 전문가로서 책임감을 높여서, 클라이언트와의 상호작용에서 공정하고 투명한 서비스를 제공하는 데 도움이 된다.

업무의 목적에 대한 깊은 이해와 열정의 유발. 자기 철학을 통해 사회복지사는 왜 이 일을 하는지에 대해 깊은 이해를 얻을 수 있다. 인문학적 관점에서, 자기 철학은 업무의 목적과 의미에 대한 고찰을 촉진한다. 업무에 대한 열정과 헌신은 자기철학을 통해 출발한다. 사회복지사가 자기의 철학을 이해하고 이를 통해 업무에 몰입하면, 그 일에 대한 효율성이 높아지고, 클라이언트에 대한 높은 집중력과 도움을 제공할 수 있다.

사회복지사 실천법

- 사람 중심의 평가와 계획을 수립하라.
- 존중과 진심을 다해 소통하라.
- 자기결정권 존중과 자립을 위해 지원하라.

사람 중심의 평가와 계획 수립이 중요하다. 사회복지사는 클라이언트와의 상호작용에서 인간 중심적인 평가를 통해 개별적인 상황을 이해해야 한다. 클라이언트의 가치, 목표를 고려하여 맞춤형 평가를 수행하고, 이를 기반으로 한 계획을 수립해야 한다. 이 과정에서 클라이언트의 의견과 선호도를 존중하며, 그들이 자신의 상황에 맞는 도움을 받을 수 있도록 지원하는 것이 중요하다.

존중과 투명성을 강조하는 의사소통이 필요하다. 사회복지사는 존중과 투명성을 강조하는 의사소통을 실천해야 한다. 클라이언트와의 상호작용에서 존중은 상호간에 신뢰를 증진시키고 긍정적인 관계를 형성하는 기반이 된다. 투명성은 서비스의 목적, 절차, 결과 등을 명확히 전달하고, 클라이언트가 서비스에 대해 이해하고 참여할 수 있도록 하는 것이다. 이를 통해 클라이언트와의 협력 관계를 강화하고, 그들이 자신의 욕구를 이해하고 개선하는 데 도움을 줄 수 있다.

자기결정권 존중과 자립을 위한 지원이 필요하다. 사회복지사는 클라이언트의 자기결정권을 최대한 존중하고, 그들이 자립적으로 삶을 이어갈 수 있도록 지원해야 한다. 클라이언트의 목소리를 듣고, 그들의 욕구와 목표를 중심으로 서비스를 제공함으로써 자기결정권을 강화할 수 있다. 또한, 자립을 위한 필요한 기술과 지식을 제공하여 클라이언트가 자신에게 더 나은 결정을 내릴 수 있도록 도와야 한다.

이러한 실천법들을 통해 사회복지사는 사람중심의 업무를 실현하고, 클라이언트가 보다 높은 삶의 질을 추구하고 이룰 수 있도록 지원할 수 있다.

12. 사람이 자산(資産)이다

"덕이 있는 사람은 외롭지 않으며 반드시 이웃이 있다." 《논어, 이인편》

"덕이 있는 사람은 외롭지 않으며 반드시 이웃이 있다."라는 논어의 문구는 사회복지 현장에서 사회복지사가 가치로 삼을 수 있는 다양한 의미를 지니고 있습니다. 이를 기반으로 사회복지사가 이를 사회복지 가치로 삼아야 할 이유를 다음과 같이 설명할 수 있다.

사회복지 서비스의 목적 중 하나는 개인이 자립으로 삶을 영위할 수 있도록 지원하는 것이다. 자립은 개인이 자신의 목표를 설정하고 이를 달성하며, 필요한 지식과 기술을 가지고 스스로 삶을 조절하고 유지할 수 있는 능력을 의미한다. 따라서, 사회복지 서비스는 클라이언트가 경제적, 사회적, 정서적인 측면에서 자립적인 삶을 살 수 있도록 도움을 제공하고, 필요한 자원과 지원체계를 제공하여 개인이 자체적으로 문제를 해결하고 성장할 수 있도록 지원한다.

사회복지 서비스는 개인의 덕과 선량한 행동을 존중하고 이를 기반으로 사회적인 연결성을 강화한다. 클라이언트에게 사회적 지지체계를 구축하고 지역사회와의 연결을 촉진하여 외로움을 해소하고 지속적인 지원을 제공한다. 그리고, 덕을 지닌 사람은 항상 다른 이웃과 연결되어 있다.

사회복지 서비스는 클라이언트에게 덕을 키우고 나눔의 문화를 유도함으로써, 그들이 자신의 덕을 발전시키고 동시에 지역사회에 기여할 수 있도록 지원한다. 나눔과 협력은 강한 지역사회를 형성하며, 서로의 덕을 나누어 성장할 수 있는 기반을 마련한다. 그리고, 덕이 있는 사람은 도덕적 가치를 기리고 나눔의 정신을 실천한다.

사회복지 서비스는 클라이언트가 지역 사회와 상호작용하며, 그들의 삶을 존중하는 환경을 조성한다. 이를 통해 지역 사회의 건강을 증진시키고, 다양한 개인들이 함께 협력하여 공동체를 형성할 수 있는 지원을 제공한다. 그리고, 반드시 이웃이 있다는 것은 지역 사회와의 연결성을 강조한다.

인문학 코칭, 군자와 사회복지사

사회복지사가 매개자 역할을 수행하려면 리더십을 가져야 한다. 이는 클라이언트의 자기결정을 강화하는 데에 도움이 된다. 리더십은 결정을 내리고 책임을 지는 것을 의미하며, 클라이언트에게 자신의 삶을 주도적으로 이끌 수 있는 능력을 부여한다. 사회복지사가 리더다운 모습을 보이면서 클라이언트는 자신의 욕구와 가치를 명확히 이해하고, 그에 따른 결정을 내릴 수 있는 능력을 키워나갈 수 있다.

사회복지사가 리더다운 모델로서 긍정적인 행동과 태도를 보이면, 이는 클라이언트에게 동기부여의 기회를 제공한다. 리더십은 긍정적인 행동과 선택을 통해 다른 이들을 영향력 있게 이끌어 나가는 것이기 때문이다. 사회복지사가 클라이언트에게 긍정적인 모델을 제공하면, 클라이언트는 자신의 삶을 개선하고자 하는 동기를 높일 수 있다. 이러한 긍정적 모델링은 클라이언트의 자아 효능감을 강화하고, 지속적인 변화를 이끌어낼 수 있다.

리더다운 모습을 지닌 사회복지사는 클라이언트의 자기효능감을 증진시키는 데에 중요한 역할을 한다. 리더십은 자신과 주변을 이끌어나가는 능력을 의미하며, 사회복지사가 이를 보여주면서 클라이언트에게 자기 자신을 믿고 도전할 수 있는 자신감을 부여한다. 클라이언트가 자기효능감을 증진시키면, 자립성을 확보하고 삶의 문제에 대처할 수 있는 능력을 키울 수 있다. 이는 장기적으로 클라이언트가 자립적으로 성공적인 삶을 살아갈 수 있도록 돕는 것이다.

사회복지인문학, 매개자 역할

사회복지사가 사람들 간 매개자 역할을 하는 이유는 다양한 측면에서 클라이언트의 자립과 사회적 통합을 도모하기 위해서이다. 먼저, 사회복지사는 클라이언트와 다양한 자원 및 지원 서비스를 연결하여 필요한 지원을 제공함으로써, 개인이 자신의 어려움을 극복하고 자립적으로 삶을 이어갈 수 있도록 돕는다. 이는 클라이언트가 사회의 다양한 자원을 활용하여 자신의 상황을 개선하는데 중요한 역할을 한다.

둘째, 사회복지사는 대인관계에서의 중재자 역할을 수행한다. 클라이언트와 주변 사람들 간의 소통과 관계에서 조절과 지원을 제공하여 건강한 대인관계를 형성하고 유지하도록 돕는다. 이는 클라이언트가 사회적인 네트워크를 구축하고, 지역사회와의 상호작용을 통해 자신의 삶을 더욱 풍부하게 만들 수 있도록 지원한다.

마지막으로, 사회복지사는 클라이언트의 강점과 능력을 인식하고 강화시킴으로써 자립적으로 삶을 관리할 수 있는 능력을 키워준다. 클라이언트의 Bedrock과 Bedrock를 이해하고, 그들이 지니고 있는 잠재력을 최대한 발휘할 수 있도록 도움을 제공함으로써, 클라이언트가 자신의 삶을 주도하고 목표를 달성하는데 도움을 준다. 이러한 다양한 역할들을 통해 사회복지사는 클라이언트가 자립하며 보다 풍요로운 삶을 살 수 있도록 지원한다.

사회복지사 실천법

- 다양한 지원과 프로그램을 소개하라.
- 다양한 커뮤니티 참여를 유도하라.
- 강점과 능력을 발견하고 강화하라.

사회복지사가 매개자 역할을 효과적으로 수행하기 위해서는 클라이언트에게 다양한 자원과 지원 프로그램을 소개하고 이를 적절하게 연결시킬 수 있다. 클라이언트의 강점과 자원을 파악하고 이를 고려하여 필요한 지원을 찾아야 한다. 이는 클라이언트의 개별적인 상황을 고려하여 맞춤형 지원을 제공하는데 중요하다. 또한, 사회복지사는 다양한 사회서비스, 금융지원, 교육프로그램 등의 자원을 소개하고 클라이언트가 해당 자원을 적극적으로 활용할 수 있도록 도움을 줄 수 있다. 이 과정에서 사회복지사는 클라이언트와의 협력관계를 구축하며, 클라이언트가 자신의 상황을 개선하고 지속적으로 발전할 수 있도록 지원해야 한다. 이렇게 구성된 효과적인 자원 연결은 클라이언트의 근본적인 문제를 해결하고, 필요한 자원을 최대한 활용할 수 있도록 도움을 주는 중요한 실천방법이다.

사회복지사는 클라이언트를 다양한 그룹 활동이나 지역 커뮤니티 행사에 참여하도록 유도한다. 이를 통해 클라이언트는 다양한 사람들과 소통하고 협력하는 경험을 쌓을 수 있다. 그룹에서의 활동은 대인관계 및 소통 능력을 강화하며, 지역사회와의 연결을 촉진하여 클라이언트가 자립적으로 삶을 사는데 도움을 준다.

사회복지사는 클라이언트의 개인적인 강점과 능력을 발견하고 강화시키는데 초점을 맞춘다. 클라이언트의 관심사, 취미, 기술 등을 파악하여 해당 분야에서의 성장과 발전을 지원한다. 이는 클라이언트가 자신의 강점을 최대한 활용하며, 자립적으로 목표를 달성하는 과정에서 능력을 키우는 데에 도움을 준다.

이러한 구체적인 방법들을 통해 사회복지사는 클라이언트가 자립하며 보다 풍요로운 삶을 살아갈 수 있도록 지원한다.

13. 영향력을 끼쳐라

"노인을 편안케 하고 벗들이 나를 믿게 하여 젊은이가 나를 따르게 하고 싶다."《논어, 공야장편》

본문의 "노인을 편안케 하고 벗들이 나를 믿게 하며 젊은이가 나를 따르게 하고 싶다."는 깊은 인간적 가치를 담고 있다. 이 가치를 실천하는 데에는 다양한 방법이 있다.

노인을 편안케 하는 방법은 다양한 형태로 구현될 수 있다. 사회복지사는 노인들과 소통하여 그들의 필요를 이해하고, 이에 맞는 프로그램을 제공할 수 있다. 건강한 라이프 스타일을 즐기기 위한 활동이나 정기적인 소모임을 조직하여 노인들의 삶의 질을 향상시킬 수 있다. 노인들에게는 자신의 재능을 나누고 노하우를 전수할 기회를 제공함으로써, 그들이 사회적으로 더욱 활발하게 참여하도록 격려할 수 있다.

벗들이 나를 믿게 하는 방법은 소통과 신뢰를 중시하는 것이다. 사회복지사는 노인들과의 관계에서 상호존중과 신뢰를 바탕으로 한 소통을 강조해야 한다. 정기적인 면담을 통해 노인들의 의견을 듣고 그들의 삶에 대한 이해를 높일 수 있다. 또한, 문제가 발생했을 때 적극적으로 소통하여 문제를 해결하고, 그 과정에서 상호 간의 신뢰를 더욱 깊게 할 수 있다.

젊은이가 나를 따르게 하는 방법은 교육과 멘토링을 통해 이루어질 수 있다. 사회복지사는 노인들을 대상으로 교육 프로그램이나 멘토링을 개설하여 그들이 가진 지혜와 경험을 젊은 세대와 공유할 기회를 제공할 수 있다. 이를 통해 노인들은 자신의 가치를 인정받고, 젊은이들은 노인들의 경험을 통해 성장할 수 있다. 이러한 교류는 세대 간의 이해와 연대를 촉진하여 사회적 유대감을 높일 수 있다.

《논어》의 가치를 사회복지사의 실천에 녹여내면서, 상호존중, 상호협력, 세대 간의 연대를 강조하는 가치를 토대로 한 이러한 실천 방법은 사회적 통합과 공동체의 강화에 이바지할 것이다.

인문학 코칭, 군자와 사회복지사

논어에서의 말 "노인을 편안케 하고 벗들이 나를 믿게 하며 젊은이가 나를 따르게 하고 싶다."는 군자와 사회복지사가 사람들에게 영향력을 행사하는 방식에 대한 통찰을 제공한다. 이 둘은 각자의 역할에서 다르게 영향력을 행사하고 있다.

군자는 예로써 영향력을 행사한다. 군자는 자기 행동을 통해 예의를 보여주고, 그 예의가 주변에 긍정적인 영향을 미치도록 노력한다. 군자의 예의 바른 행동은 어떠한 상황에서도 굳건하게 표현되어, 주변 사람들은 그를 존경하고 따르게 된다.

사회복지사는 체계적으로 사회적 영향력을 행사한다. 사회복지사는 교육, 프로그램 개발, 그리고 지원 서비스를 통해 사회의 취약 계층에 도움을 주는 역할을 한다. 군자와는 달리, 사회복지사는 구조적인 변화를 이끌어내기 위해 정부, 비영리 단체, 지역 사회와 협력하며 체계적으로 영향력을 발휘한다.

두 역할 모두 세대 간의 연대와 상호존중을 강조한다. 군자는 자신의 행동을 통해 세대 간의 예의와 품격을 유지하고 전통을 이어가려 노력한다. 사회복지사는 구조적 개입을 통해 사회적 불평등을 감소시키고, 취약 계층을 지원함으로써 세대 간의 연대를 실현하려 한다. 양쪽 역할에서 세대 간의 연대와 상호존중을 중시하여 변화를 이끌어내는 데 중요성을 부여한다.

군자와 사회복지사는 각자의 역할과 맥락에서 다르게 영향력을 행사하고 있지만, 두 역할 모두 사회적 가치와 도덕적인 원칙을 중시하며, 세대 간의 연대와 상호존중을 통해 긍정적인 변화를 이끌어낸다.

심층적인 이해와 존중이 중요하다. 사회복지사는 클라이언트의 개인적인 상황을 심층적으로 이해하고 존중함으로써 긍정적인 변화를 이끌어낼 수 있다. 클라이언트의 과거 경험, 가정 환경, 문제의 본질을 탐색하면서, 사회복지사는 각 개인의 독특한 상황을 이해하는 데 주력한다. 이를 통해 클라이언트는 자신의 삶에 대한 이해를 깊게 할 수 있고, 그에 따라 변화를 위한 동기부여가 증가할 수 있다. 또한, 사회복지사는 클라이언트의 가치와 신념을 존중하여 상담 과정에서 신뢰 관계를 구축한다.

목표 설정과 계획 수립이 중요하다. 긍정적인 영향력을 행사하기 위해 사회복지사는 클라이언트와 함께 명확한 목표를 설정하고 그에 따른 계획을 수립한다. 클라이언트의 욕구와 필요에 귀 기울이면서, 양자 간의 상호 협력을 통해 현실적이고 실현 가능한 목표를 도출해낸다. 목표 설정과 계획 수립을 통해 클라이언트는 더 나은 미래를 위한 첫 걸음을 내딛을 수 있게 되며, 사회복지사는 지속적인 지원을 통해 클라이언트가 목표를 달성할 수 있도록 도움을 제공한다.

자기 인식과 감정 관리 강화가 중요하다. 개인화된 지원과 상담에서 사회복지사는 클라이언트의 자기 인식과 감정 관리 능력을 강화하는 데 주력한다. 클라이언트와 함께 자기 인식을 증진하고, 자신의 감정과 기분을 인식하며 그에 대한 건강한 대응 방식을 개발하는 데 도움을 준다. 이를 통해 클라이언트는 자신에 대한 깊은 이해를 얻으면서, 감정을 효과적으로 다룰 수 있는 도구를 배우게 된다. 자기 인식과 감정 관리의 강화는 클라이언트가 삶의 어려움에 대응하는데 있어서 중요한 역할을 하며, 긍정적인 심리적 변화를 이끌어내는 기초를 마련한다.

사회복지사 실천법

- 감정인식과 표현교육을 실시한다.
- 감정일지를 작성해 감정패턴을 파악한다.
- 감정관리 기술을 제공한다.

사회복지사의 역할은 다양한 상황에서 개인들이 더 나은 삶을 살 수 있도록 지원하는 것에 더해, 최근에는 감정 코칭이라는 새로운 영역에서의 중요성이 부각되고 있다. 이는 클라이언트가 자신의 감정을 더 잘 이해하고, 이를 효과적으로 다룰 수 있도록 도와주는 과정을 의미한다. 사회복지사가 클라이언트의 감정코칭을 위해 실천할 수 있는 구체적인 세 가지 방법은 다음과 같다.

자신의 감정을 인식하고 표현하는 방법을 교육한다. 사회복지사는 클라이언트에게 다양한 감정의 종류와 특징에 대해 교육하고, 이를 어떻게 효과적으로 표현할 수 있는지를 가르치는 것이 중요하다. 이를 통해 클라이언트는 자신의 감정을 명확하게 인식하고 다른 이들과 공유하는 방법을 배우게 된다. 감정의 정확한 식별과 표현은 상호작용에서의 효과적인 의사소통을 촉진하며, 자기 자신과 다른 사람들 간의 관계를 강화한다.

감정 일지 작성은 감정의 패턴을 파악하고 이해하는 데에 도움이 된다. 클라이언트에게 감정 일지를 작성하도록 권장함으로써, 그들은 일상적인 상황에서 느끼는 감정을 기록하고, 각각의 감정이 발생한 상황과의 연결을 찾아낼 수 있다. 이를 통해 클라이언트는 자신의 감정에 대한 인식을 높이고, 특정 상황에서 어떻게 반응하는지에 대한 인사이트를 얻게 된다. 감정 일지는 자기 분석과 성장을 위한 강력한 도구로 작용하여, 클라이언트가 자신을 이해하는 데 도움이 된다.

감정 관리 기술의 제공은 감정을 효과적으로 다루는 법을 익히는 데에 도움을 준다. 사회복지사는 클라이언트에게 숨을 깊게 들이마시고 내쉬기와 같은 심호흡 기술부터, 긍정적인 관점 채택 등 다양한 기술을 가르쳐줄 수 있다. 이러한 기술들은 클라이언트가 감정적인 상황에서 자신을 통제하고 안정시키는 데에 도움이 된다. 감정 관리 기술은 클라이언트가 스트레스와 감정적인 어려움에 대응하는 데에 있어서 강력한 도구로 작용하여, 긍정적인 변화를 이끌어내는 데에 기여한다.

이러한 감정 코칭의 구체적인 실천법들을 통해 사회복지사는 클라이언트의 감정적인 지원에 중점을 두면서, 그들이 감정을 더 효과적으로 다루고 성장할 수 있도록 지원할 수 있다. 클라이언트가 자신의 감정을 이해하고 긍정적으로 활용하는 것은 개인의 삶과 대인 관계에서 더 나은 삶을 살도록 돕는다.

14. 균형이 중요하다

"바탕이 겉모양을 이기면 촌스럽고 겉모양이 바탕을 이기면 겉치레다. 바탕과 겉모양이 조화를 이뤄야 군자라고 할 수 있다."《논어, 옹야편》

사회복지정책과 현장 간의 괴리를 최소화하는 데 중요한 원칙은 논어의 지혜 속에 담겨 있다. 논어에서 나온 "바탕과 겉모양이 조화"의 원칙은 사회복지정책과 현장의 문제간 간극을 최소화하는 데 적용할 수 있다.

먼저, 현장 경험을 정책에 적극적으로 반영하는 것이 핵심이다. 현장에서 발생하는 다양한 문제와 상황을 체계적으로 기록하고, 이를 정책 개발의 기반 자료로 활용함으로써 현실적이고 효과적인 정책을 만들어낼 수 있다. 현장에서 얻은 실제 경험을 통해 정책이 현실 세계에서 어떻게 작동하는지에 대한 통찰력을 얻을 수 있다.

두 번째로, 정책의 실행 가능성을 고려하고 현장 참여를 강화해야 한다. "겉모양이 바탕을 이기면 겉치레다"라는 원칙을 통해, 정책을 실행 가능한 수준에서 계획하고 검토해야 한다. 현장에서 일하는 사회복지 전문가들과의 협력을 강화하면서, 정책의 실행 가능성을 검토하고 현장의 실제 상황에 맞게 조정할 수 있다. 이는 괴리감을 최소화하고 현장에서의 정책 이행을 원활하게 만들어준다.

마지막으로, 정책 결과에 대한 투명하고 정기적인 소통을 강화해야 한다. "바탕이 겉모양을 이기면 촌스럽다"라는 경고와 연결하여, 정책의 목적과 결과를 투명하게 소통하는 것이 중요하다. 현장과 정책 제안자 간의 소통을 강화하고, 정책의 목표와 현장에서의 적용 결과를 정기적으로 현장과 공유함으로써 피드백을 수렴하고 정책의 효과를 지속적으로 개선할 수 있다.

이처럼, 논어의 지혜를 현대 사회복지사의 실천에 적용하면 정책과 현장 간의 괴리를 줄이고, 바탕과 겉모양이 조화를 이루며 현장에서 실질적인 변화를 이끌어낼 수 있다.

인문학 코칭, 군자와 사회복지사

군자의 덕목을 논하는 논어의 지혜는 현대 사회에서 사회복지사의 역할과 비교될 때 흥미로운 고찰을 제시한다. “바탕과 겉모양이 조화”라는 원칙은 군자에게 있어서 내면과 외면의 조화로운 발전을 의미한다. 이는 사회복지사에게도 적용될 수 있는 가치 중 하나로 여겨진다.

사회복지사는 군자의 원칙을 따라야 한다. 군자는 겉치레 없이 바탕이 튼튼해야 한다. 이는 사회복지사에게 있어서도 각자의 내면적 윤리 기준과 함께 현장의 현실을 이해하는 능력을 강조한다. 현장에서의 경험과 이를 기반으로 한 통찰력은 정책 제안과 실행에서 핵심적인 역할을 한다. 이를 통해 사회복지사는 자기 내면과 외면을 조화롭게 발전시키는 군자적인 가치를 실천한다.

군자와 사회복지사는 또한 투명성, 현장 경험의 통합, 협력의 중요성에서 공통점을 갖는다. 군자는 겉모양이 바탕을 이기면 겉치레를 하고, 이는 사회복지사가 정책과 현장 간의 괴리를 최소화하고 현장에서의 효과적인 변화를 이끌어내기 위해 투명성을 갖추고 협력을 강화하는 노력을 기울이도록 교훈을 주고 있다.

이러한 비교를 통해 군자의 덕목은 현대 사회에서 사회복지사의 역할과 상당한 일치를 보이며, 군자의 가르침이 사회복지사에게 지속적인 영감과 지침을 제공한다. 결국, 군자의 가치는 사회복지사에게 더 높은 규범과 지혜를 제공하여 사회복지사가 현장과 정책 간의 괴리를 최소화하며 군자적인 가치를 실천하는 데 기여한다.

사회복지인문학, 조화로움

사회복지사가 사회복지 현장과 정책 사이의 괴리감을 해결하기 위해 효과적으로 실천할 수 있는 세 가지 방법이 있다.

먼저, 현장 경험을 정책에 반영하는 통로를 강화해야 한다. 현장에서의 경험은 정책 개발에 중요한 역할을 하며, 이를 효과적으로 전달할 수 있는 통로를 구축하는 것이 필수적이다. 정기적인 현장 간담회나 피드백 세션을 통해 현장의 의견을 청취하고, 이를 정책에 적극적으로 반영함으로써 현장과 정책 간의 소통을 원활하게 할 수 있다.
현장과 정책 간의 소통을 강화하는 것이 필요하다. 소통은 협력과 상호 이해를 촉진하는 핵심적인 도구이다. 사회복지사는 정책 개발 초기부터 현장의 의견을 수렴하고, 정책 시행 중에는 정기적인 소통 회의 및 업데이트 세션을 통해 현장에서의 경험과 정책의 목적을 지속적으로 공유하여 괴리를 최소화할 수 있다.
교육과 훈련 프로그램을 실시함으로써 현장에서 일하는 사회복지 전문가들을 강화하는 것이 중요하다. 정책에 대한 교육과 훈련 프로그램은 현장의 사회복지사들이 정책의 목적과 의도를 명확하게 이해하고, 이를 실제 상황에 적용할 수 있도록 도와준다. 이를 통해 사회복지사들은 더욱 효과적으로 현장에서 정책을 실행하며, 괴리를 최소화할 수 있다.

이러한 방법들을 종합적으로 실천함으로써, 사회복지사는 현장과 정책 간의 괴리를 줄이고, 바탕과 겉모양이 조화를 이루는 데 일조한다.

사회복지사 실천법

- 정기적인 간담회를 개최한다.
- 신속한 정보교환의 도구를 사용한다.
- 개방적인 의사소통 환경을 조성한다

사회복지사는 현장과 정책 간의 소통을 강화하기 위해 구체적인 방법을 도입할 수 있다.

정기적인 간담회는 사회복지 현장에서 발생하는 다양한 문제를 적극적으로 반영하고 해결하기 위한 효과적인 방법이다. 간담회는 현장에서 실제로 경험되는 어려움과 도전에 대한 통찰력을 공유할 기회를 제공한다. 개별적인 케이스나 지역에서 나타나는 특수한 문제들을 공동체 차원에서 이해하고 대응하는 데 도움이 된다. 간담회는 새로운 정책이나 프로그램이 현장에서 어떻게 작동하는지에 대한 피드백을 제공하고, 이를 통해 정책의 효과성을 평가하고 개선하는 데 기여한다. 사회복지 현장의 민감한 문제들에 대한 심도 있는 토론과 지속적인 전문성의 향상을 촉진하여, 보다 효과적이고 지속 가능한 사회복지 실천에 기여할 수 있는 중요한 플랫폼으로 부각된다.

전자 소통 도구를 활용하여 신속한 정보 교환을 통한 소통을 강화해야 한다. 이메일, 온라인 회의, 메신저 등의 전자 소통 도구를 적극적으로 활용함으로써, 지리적인 제약을 극복하고 빠른 소통을 가능케 하며, 현장과의 상호작용을 강화할 수 있다.

투명하고 개방적인 의사소통 환경을 조성함으로써 소통의 질을 향상시켜야 한다. 사회복지사는 정책 제안의 배경, 목적, 예상 효과 등을 명확하게 설명하고, 현장에서의 경험과 의견을 존중하는 분위기를 조성함으로써, 소통의 품질을 높일 수 있다.

이러한 방법들을 적절히 조합하면, 사회복지사는 현장과 정책 간의 소통을 향상시키고, 두 영역 간의 괴리를 최소화하며 현장에서의 효과적인 사회복지 서비스 제공을 지원할 수 있다.

15. 성찰로 나아가라

"덕을 닦지 못한 것, 학문을 익히지 못한 것, 의로운 일을 듣고도 실천하지 못한 것, 선하지 않은 점을 고치지 못한 것, 이것이 나의 근심이다."《논어, 술이편》

본문은 공자의 말씀으로, 자신의 부족함과 근심을 솔직하게 인정하는 내용이 담겨 있다. 이 말씀을 통해 사회복지사는 자신에 대한 성찰과 역량을 높이기 위한 성장의 과정으로 실천할 수 있다.

"덕을 닦지 못한 것"은 도덕적인 가치와 덕을 높이지 못한 것에 대한 솔직한 인정이다. 사회복지사로서, 도덕적 리더십은 꼭 필요하다. 사회복지사는 더 나은 사회를 위해 헌신하는 태도를 가져야 하고, 윤리와 도덕성을 강화하는 교육과 함께 도덕적인 행동을 실천함으로써, 나 자신과 주변 사회에 긍정적인 영향을 끼쳐야 한다.

"학문을 익히지 못한 것"은 전문성 부족에 대한 고백이다. 사회복지사로서는 지속적인 학습과 자기 계발이 필수이다. 사회복지사는 최신 동향을 파악하고, 현장에서 발생하는 다양한 문제에 대한 전문 지식을 습득하여, 클라이언트에게 더 나은 서비스를 제공하도록 노력해야 한다.

"의로운 일을 듣고도 실천하지 못한 것"은 이론과 현실 간의 격차에 대한 고백이다. 사회복지사는 이론적 지식뿐만 아니라 현장에서의 경험을 쌓아, 클라이언트들에게 더 효과적인 도움을 줄 수 있도록 노력해야 한다. 현실적인 문제에 적극적으로 대처하며, 이를 해결하기 위한 창의적이고 실용적인 방안을 모색해야 한다.

"선하지 않은 점을 고치지 못한 것"이라는 구절은 자신에 대한 성찰과 개선의 의지를 담고 있다. 사회복지사는 부족한 부분을 인정하고 그것을 극복하고 노력해야 한다.

본문을 통해 드러난 근심을 바탕으로, 사회복지사는 지속적인 학습과 도덕적 리더십, 현장 경험을 통한 실무 능력 강화를 통해 더 전문가로 성장할 수 있다.

인문학 코칭, 군자와 사회복지사

논어의 구절에서 나타난 "덕을 닦지 못한 것, 학문을 익히지 못한 것, 의로운 일을 듣고도 실천하지 못한 것, 선하지 않은 점을 고치지 못한 것, 이것이 나의 근심이다."는 우리에게 나 자신을 돌아보고 성찰하는 중요성을 상기시킨다. 특히, 이를 사회복지사의 입장에서 살펴보면 성찰의 태도가 현장에서 어떠한 역할을 하는지에 대한 통찰을 얻을 수 있다. 여기에서는 군자와 사회복지사의 입장을 비교하여 성찰의 필요성을 설명하고자 한다.

군자의 입장에서 성찰은 도덕적인 가치관을 높이고 자기 자신을 깊이 이해하는 과정이다. 군자는 덕을 갖추고자 하는데, 그러기 위해서는 자기 자신의 행동과 가치에 대한 지속적인 성찰이 필요하다. 그는 도덕적인 지침을 따르며 사회적 책임을 다하고자 노력한다.

반면, 사회복지사는 군자와 유사한 목표를 가지고 있다. 그러나 이 목표는 현장에서의 사회적 문제에 대한 민감성과 함께 다양한 클라이언트들에게 도움을 주는 것이다. 성찰은 여기서 사회복지사에게 자기 자신을 끊임없이 살피고 개선하는 기회를 제공한다. 사회복지사는 클라이언트와 상호작용하면서 자신의 편견이나 선입견을 발견하고 개선함으로써 민감한 상황에서 보다 효과적인 지원을 제공할 수 있다.

군자는 지식을 습득하고자 노력한다. 그는 학문을 통해 도덕적 가치를 높이고 지혜를 쌓으려고 한다. 이는 자기 계발과 지적 성장을 위한 노력이다. 마찬가지로, 사회복지사도 학문을 통해 전문성을 향상시켜야 한다. 현장에서 다양한 문제에 대처하기 위해서는 이론과 실무 경험이 조화롭게 결합되어야 한다.

사회복지인문학, 자기성찰

사회복지사로서 사회복지 현장에서 성공적으로 활동하기 위해서는 지속적인 자기성찰이 필요하다.

지속적인 도덕적 성찰이다. 사회복지사로서 가장 중요한 가치 중 하나는 도덕성이다. 지속적인 도덕적 성찰을 통해 자신의 행동과 의사 결정에 대해 정기적으로 도덕적 판단을 내릴 수 있다. 클라이언트와의 상호작용에서 발생하는 윤리적인 문제에 직면했을 때, 이를 극복하고 해결하기 위해 도덕적으로 성숙한 행동을 취할 수 있도록 자기 성찰의 태도가 필요하다.

꾸준한 전문성의 강화이다. 사회복지사는 지속적인 학습을 통해 전문성을 높여야 한다. 현장에서 발생하는 다양한 문제에 대응하려면 최신 이론과 기술을 활용할 수 있어야 한다. 주기적인 교육, 학술논문과 새로운 도서의 업데이트를 통해 학문적인 지식을 강화하고, 이를 현장에 적용해 보는 노력이 필요하다. 이러한 지식 강화를 통해 클라이언트에게 최상의 서비스를 제공할 수 있을 뿐만 아니라, 자신의 진로와 전문성을 발전시키는데에도 도움이 된다.

끊임없는 실무 경험과 피드백의 수용이다. 사회복지 현장에서는 이론만으로는 부족한 경우가 많다. 실무 경험을 통해 얻은 통찰력은 이론적 지식을 보완하고 실제 상황에서의 문제상황을 해결하는데 중요한 자료가 된다. 자기성찰의 일환으로, 현장에서의 경험에서 어떤 점을 배웠는지를 기록하고 피드백을 받아 향후의 행동에 적용하는 것이 중요하다. 다양한 상황에서 어떻게 대응할지에 대한 실무 경험을 축적함으로써, 향후 비슷한 상황에서는 보다 효과적으로 대처할 수 있다.

사회복지사 실천법

- 일상을 기록하라.
- 꾸준히 학습하라.
- 동료와 소통하라.

일상적인 성찰과 기록을 습관화하라. 매일 자신의 업무나 상황에서 경험한 일들을 일지에 기록하는 습관을 가져라. 이를 통해 자신의 감정, 의사결정, 그리고 행동에 대한 성찰이 가능하다. 기록을 통해 감정의 패턴이나 행동의 유용성을 확인하고, 필요하다면 개선할 부분을 찾을 수 있다. 주기적으로 성과와 도전적인 상황을 돌아보는 회고 시간을 가져라. 성공적인 사례나 실패한 경험에 대한 분석을 통해 학습하고 성장할 수 있다. 동료와의 상호 평가나 피드백을 통해 자신의 강점과 약점을 파악하고, 이를 토대로 계획을 세울 수 있다.

업무와 관련된 교육에 참여하라. 사회복지 분야의 최신 동향이나 특정 주제에 대한 교육과 워크샵에 참여하라. 이를 통해 전문성을 키우고, 새로운 아이디어를 얻을 수 있다. 자기 성찰은 지식의 확장과 관련이 깊기 때문에 꾸준한 학습이 필요하다. 문헌 조사와 독서 습관을 가져라. 자기 성찰을 통해 부족한 부분을 파악하고 보완하기 위해 학술 논문이나 관련 도서를 읽는 습관을 가져라. 다양한 출처에서 정보를 수집하고 이를 현장에 적용하는 능력을 키우면 자신의 전문성을 높일 수 있다.

팀 내에서 작은 소그룹을 구성하여 주기적인 모임을 가져라. 서로의 경험과 관점을 나누고 토론함으로써 새로운 아이디어를 얻을 수 있다. 동료들과의 소통은 자기 성찰을 통한 인사이트를 풍부하게 얻을 수 있다. 동료나 상급자에게 자주 피드백을 요청하라. 비판적이고 건설적인 피드백은 자기 성찰의 중요한 부분이다. 또한, 받은 피드백을 건설적으로 수용하고 이를 토대로 향후 행동을 개선하라.

자기성찰은 지속적이고 체계적인 노력을 필요하다. 이를 통해 사회복지사는 자신의 강점과 약점을 이해하고, 지속적인 전문성 향상과 윤리적인 행동을 실천할 수 있다.

사회복지 인문학

존재

16. 사명감을 가져라

"선비란 뜻이 넓고 굳세지 않으면 안 된다. 책임이 막중하고 갈 길이 멀기 때문이다." 《논어, 태백편》

본문은 공자의 제자인 증자라는 한 이야기로 '선비는 뜻이 넓고 굳세어야 한다'라는 구절로 유명하다. 이 글은 사회복지사가 직업적 사명감을 가져야 하는 이유를 설명하고 있다.

《논어》의 "선비의 뜻이 넓고 굳세지 않으면 안 된다."는 말은 사회복지사가 다양하고 복잡한 사회문제에 대한 도전을 의미한다. 현대 사회에서는 빈곤, 가정폭력, 정신건강 문제 등 다양한 어려움이 존재하며, 사회복지사는 이에 대처하기 위해 넓은 시야와 강인한 의지가 필요하다.

《논어》는 선비가 책임이 막중하고 갈 길이 멀기 때문에 뜻이 넓고 굳세져야 한다고 강조한다. 사회복지사의 경우, 취약 계층이나 어려움에 처한 개인과 가족들을 돕는 것은 무거운 책임이며, 이를 수행하기 위해서는 사명감과 책임감이 반드시 필요하다. 논어의 내용과 대비하여, 선비가 뜻을 넓게 가져가는 것과 마찬가지로, 사회복지사도 사회적 의무를 넓게 인식하고 이를 수행해야 한다.

《논어》에서 언급한 "갈 길이 멀다"라는 표현은 사회복지사의 긴 여정과 지속적인 노력을 의미한다. 사회복지사는 지속적인 전문성 향상과 성장을 통해 사회적인 변화에 대응하고 클라이언트에게 보다 나은 지원을 제공할 수 있어야 한다. 이는 선비처럼 굳건한 의지와 끈기를 요구한다.

따라서, 논어의 내용과 대조하여 사회복지사가 사명감을 가져야 하는 이유는 다양하고 복잡한 도전, 무거운 책임과 사회적 의무, 그리고 지속적인 전문성과 성장을 통한 긴 여정에 대한 요구가 필요하다.

인문학 코칭, 군자와 사회복지사

군자는 넓은 뜻을 가져야 한다. 이는 세상을 포괄적으로 이해하고 여러 가지 관점에서 문제를 바라보며 폭넓은 시야를 가져야 한다는 의미이다. 또한 굳세지 않으면 안 된다는 표현은 군자가 뜻을 갖고 행동할 때 결연하고 굳건한 의지를 가져야 한다는 것을 나타낸다. 이는 문제에 대한 진지한 고민과 적극적인 대응을 의미한다.

사회복지사도 군자와 유사한 태도를 가져야 한다. 다양한 사회 문제에 대한 이해와 폭넓은 시각을 통해 클라이언트의 상황을 포괄적으로 이해하고 적절한 지원을 제공해야 한다. 또한 책임이 막중하고 갈 길이 멀다는 표현은 사회복지사가 자신의 역할에 대한 책임을 자각하고, 지속적으로 개인적, 직업적 성장을 추구해야 한다는 메시지를 전한다.

군자와 사회복지사 모두 뜻을 넓게 가져야 하며, 굳세고 결연한 의지로 고민하고 대응해야 한다. 책임이 막중하고 갈 길이 멀다는 것은 그들의 역할이 어렵고 힘들지만, 이를 이겨내기 위해서는 높은 사명감과 책임감을 가져야 한다. 두 그룹 모두 자신의 역할에 충실하며, 어려움에도 불구하고 끊임없는 노력을 통해 성장해야 한다.

이러한 관점에서 군자와 사회복지사는 자신의 뜻을 크게 가져가고, 굳세고 책임감 있는 태도로 다가가야 한다. 그들의 노고와 노력이 세상을 더 나은 곳으로 만들 수 있다.

사회복지인문학, 사명감

사회복지사의 스트레스는 사명감에 부정적인 영향을 미쳐 업무에 대한 효율성과 진정한 도움을 제공하는 데에 어려움을 초래할 수 있다.
과중한 업무를 극복하는 데 있어서 우선순위와 계획 수립은 중요하다. 과중한 업무 상황에서는 일을 동시에 처리하기 어려우며, 따라서 우선순위를 정하고 효과적인 계획을 수립하는 것이 필요하다. 계획이 명확하게 수립되면, 사회복지사는 과중한 업무 속에서도 효과적으로 일할 수 있다.
자기 관리와 휴식의 중요성을 강조한다. 과중한 업무는 높은 스트레스와 피로를 초래할 수 있기 때문에, 사회복지사는 자기 자신을 관리하고 휴식을 취하는 것이 필요하다. 정기적인 운동, 충분한 수면, 휴식 시간 동안 자기 케어에 신경 쓰는 등의 방법을 통해 신체적, 정신적인 건강을 유지할 수 있다.
팀 협력과 네트워킹이 중요하다. 사회복지는 종종 다양한 전문가들과 협력하여 진행되는데, 과중한 업무를 극복하기 위해서는 팀원들과의 협력과 각자의 강점을 최대한 활용하는 것이 중요하다. 또한, 사회복지 네트워크를 구축하고 다양한 조직, 기관들과의 협업을 통해 지원 체계를 강화할 수 있다.
이러한 실천법들을 통해, 사회복지사는 과중한 업무 속에서도 효과적으로 일하며, 동시에 클라이언트에게 높은 수준의 지원을 제공할 수 있다.

사회복지사 실천법

- 스트레스 관리일지를 작성한다.
- 신체활동과 운동을 한다.
- 셀프 케어와 휴식을 한다.

사회복지사로서 업무 스트레스와 자기관리는 전문성과 심리적 안녕에 큰 영향을 미친다.

매일 업무 종료 후, 경험한 스트레스 상황과 그에 대한 감정을 기록하는 일일 스트레스 관리 일지가 있다. 각 경험을 기록하면서 어떤 상황에서 스트레스를 느끼는지 파악하고, 그 근본 원인을 찾아내어 대응 방안을 모색할 수 있다. 이를 통해 개인적인 성장과 스트레스에 대한 효과적인 대처 방식을 개발할 수 있다.

스트레스 관리에 빠짐없이 효과적인 방법 중 하나는 정기적인 신체활동과 운동이다. 사회복지사는 종종 앉아있거나 고된 상황에서 일하기 때문에, 꾸준한 운동은 몸과 마음의 피로를 풀어주고 긍정적인 에너지를 제공한다. 계획적인 운동 스케줄을 수립하고 실천함으로써, 건강을 챙기며 스트레스를 완화하는 방식을 찾을 수 있다.

셀프 케어는 스트레스 관리에서 핵심적인 부분을 차지한다. 적절한 휴식과 충분한 수면을 유지하고, 취미나 특별한 관심사에 시간을 할애하여 자기 자신을 존중하고 돌보는 것이 중요하다. 업무에 몰두하다 보면 자기의 필요를 간과하기 쉽다. 셀프케어를 통해 심리적 안정을 유지하면 업무 스트레스에 더 효과적으로 대처할 수 있다.

이러한 실천법들을 통해, 사회복지사는 업무 스트레스를 효과적으로 관리하고, 동시에 자기 자신을 지속적으로 케어하여 전문적인 업무 수행과 개인적인 복지를 균형 있게 유지할 수 있다. 이러한 실천법들은 사회복지사로서 사명감을 더욱 강하게 할 것이다.

17. 주도성을 가져라

"분발하지 않으면 깨우쳐주지 않고, 애쓰지 않으면 일러주지 않는다. 한 모퉁이를 들어 보였을 때 나머지 세 모퉁이로 반응하지 못하면 반복하지 않는다."《논어, 술이편》

본문은 사회복지사가 이를 실천할 세 가지 측면으로 설명할 수 있다.

먼저, "분발하지 않으면 깨우쳐주지 않고, 애쓰지 않으면 일러주지 않는다."는 부분은 사회복지사에게 자발적인 노력을 강조한다. 사회복지사는 개별 개인에게 노력을 기울이도록 장려하며, 그들이 스스로의 성장과 발전을 위해 노력할 때에만 도움을 주도록 한다.

"한 모퉁이를 보였을 때 나머지 세 모퉁이로 반응하지 못하면 반복하지 않는다."는 부분은 상황을 전체적으로 이해하고 효과적으로 대응하는 능력을 강조한다. 사회복지사는 문제나 어려움이 발생했을 때 단순히 일부분만을 보고 처리하는 것이 아니라, 전체적인 맥락을 파악하고 종합적인 지원을 제공해야 한다.

두 문장은 능동적이고 예방적인 접근을 강조한다. 사회복지사는 문제가 심각해지기 전에 미리 예방적으로 개입하고, 개인들이 스스로 노력을 통해 문제를 예방하거나 극복할 수 있도록 도와야 한다.

이렇게 해석하면, 논어의 이 문장을 통해 사회복지사는 개인의 자발적인 노력을 촉구하고, 전체적인 상황을 이해하며 효과적으로 대응하는 능력을 갖추고, 문제에 대한 능동적이고 예방적인 접근을 취해야 한다.

인문학 코칭, 군자와 사회복지사

먼저, "분발하지 않으면 깨우쳐주지 않고, 애쓰지 않으면 일러주지 않는다."는 군자의 태도를 나타낸다. 군자는 개인이 자발적으로 분발하고 애쓰는 노력을 중요시하며, 자기 자신의 성장과 깨달음은 개인의 노력에 의해 얻어져야 한다고 강조한다. 그러므로, 군자는 타인에게 간섭하지 않고, 그들이 스스로 깨닫고 성장할 수 있도록 기회를 제공하는 태도를 취할 것이다.

또한, "한 모퉁이를 보였을 때 나머지 세 모퉁이로 반응하지 못하면 반복하지 않는다."는 사회복지사의 태도를 나타낸다. 사회복지사는 개인이나 그룹의 문제에 대한 상황 전체를 이해하고 종합적으로 대응하는 능력을 중요시한다. 이는 한 가지 측면만을 바라보지 않고, 다양한 영역에서의 지식과 이해를 바탕으로 문제를 해결하려는 노력을 의미한다.

이 두 가지 태도를 인문학적 관점에서 결합하면, 군자의 접근은 인간의 내면적인 성장과 깨달음에 주안점을 둔 반면, 사회복지사의 태도는 외부 사회적 환경과 상황에 대한 포괄적인 이해와 대처 능력을 강조한다. 이를 통해 인문학적인 태도는 개인의 내면과 사회적 맥락 간의 조화를 중시하며, 그 균형을 이루는 중요성을 강조한다.

사회복지인문학, 주도성

사회복지 서비스는 사회복지 서비스의 주체인 클라이언트의 자립을 목적으로 한다. 경제적 지원과 정서적 지원에 앞서 클라이언트의 주도성을 살펴야 한다.

클라이언트가 주도성을 가지게 되면, 자기 자신에 대한 결정권이 강화되고 책임감이 증가한다. 이는 개인이 자신의 삶에 대한 주도권을 쥐고, 문제에 대한 해결책을 찾고 선택할 수 있음을 의미한다. 사회복지사는 클라이언트에게 필요한 지원과 정보를 제공하면서도 그들이 스스로의 욕구와 목표를 찾고 달성할 수 있도록 장려하는 역할을 수행한다.

클라이언트가 주도성을 가지지 않을 경우, 서비스 실행 중에는 사회복지사나 서비스 제공자에게 지속적으로 의존하게 된다. 클라이언트가 스스로 문제를 해결하거나 목표를 달성하는 데 참여하지 않을 경우, 지속적인 의존성은 클라이언트의 자립성 및 독립성을 저해할 수 있다.

클라이언트의 주도성 부재로 인해 서비스의 효과가 감소할 수 있다. 클라이언트는 자신의 상황을 가장 잘 이해하고, 자신에게 가장 적합한 해결책을 찾을 수 있는 주체이다. 클라이언트가 주도성을 가지지 않으면, 서비스의 결과가 단기적이거나 표면적일 수 있다. 클라이언트가 진정한 의미에서 참여하고 협력하지 않으면, 지속적인 변화와 개선이 어렵고 자립에 어려움이 생길 수 있다.

사회복지사 실천법

- 개별 상담으로 목표를 설정한다.
- SMART 목표를 수립한다.
- 진행 상황을 평가하고 수정한다.

사회복지사는 클라이언트와의 인지적 상담을 통해 클라이언트의 욕구, 가치, 강점, 어려움 등을 이해한다. 이를 기반으로 개인화된 목표를 설정하고, 클라이언트가 어떤 방식으로 목표를 달성하고자 하는지를 함께 논의한다. 목표의 세부사항을 명확히 하고 계획을 수립함으로써 클라이언트의 주도성을 존중하면서도 지원한다.

사회복지사는 목표를 설정할 때 SMART 기준을 활용한다. 목표가 특정(Specific), 측정 가능(Measurable), 달성 가능(Achievable), 현실적(Realistic), 시한이 정해져 있을 때(Time-bound) 클라이언트가 목표를 이해하고 따라가기 쉽다. 이를 통해 목표의 구체성과 실현 가능성을 높이면서 클라이언트의 주도성을 존중하고 지원한다.

Specific (구체적): 목표를 명화하고 구체적으로 정의한다.
Measurable (측정 가능한): 목표를 어떻게 측정할지 설정합니다.
Achievable (실현 가능한): 목표가 현실적이고 달성 가능한지 확인한다.
Relevant (관련성 있는): 목표가 전반적인 목적과 연결되는지 확인한다.
Time-bound (시간 제한이 있는): 목표 달성을 위한 기간을 설정한다.

사회복지사는 주기적으로 클라이언트와 함께 목표 달성의 진행 상황을 평가하고 필요에 따라 계획을 수정한다. 클라이언트가 목표를 달성하는 동안 발생하는 어려움이나 새로운 욕구를 고려하여 목표를 조정하면서, 클라이언트의 주도적인 참여를 유도하고 지원한다.

이러한 구체적인 실천법들을 통해 사회복지사는 클라이언트가 자신만의 목표를 세우고 이를 주도적으로 달성할 수 있도록 돕는다.

18. 단호함을 가져라

"충심으로 일러주고 잘 인도하되 그렇게 되지 않는다면 그만두어 스스로 욕되지 않아야 한다." 《논어, 안연편》

본문은 제자인 자공이 스승인 공자에게 친구에 대해 묻자 대답한 구절이다. 군자가 친구를 대하는 태도를 사회복지사가 가져야 할 단호함의 세 가지 측면으로 설명할 수 있다.

논어의 구절에서 강조된 "충심으로 일러주고 잘 인도하되"는 사회복지사가 클라라이언트 중심의 서비스를 제공해야 함을 말한다. 하지만 때로는 클라이언트가 개선되지 않거나 협력하지 않을 경우, 사회복지사는 불필요한 자존심을 버리고 상황에 따라 결정적으로 행동해야 한다. 단호한 태도를 유지하면서도 클라리언트의 이해와 인내를 갖추는 것이 중요하다.

전문성과 윤리적 단호함이다. 사회복지사는 전문적인 역량을 갖추고, 윤리적인 원칙을 준수해야 한다. 때로는 윤리적인 가치를 지키기 위해 단호한 결정을 내리고 이를 실천해야 한다. "스스로 욕되지 않아야 한다"는 사회복지사가 자신의 단호한 결정에 대해 스스로를 의심하지 않고, 전문성과 윤리적 원칙을 지키며 일해야 함을 강조한다.

시스템에 대한 단호함이다. 사회복지사는 종종 시스템과 관련된 문제에 직면하게 된다. 이 때 사회복지사는 단호한 태도로 시스템의 개선이나 변경을 요구할 수 있어야 한다. 단호함은 구조적인 문제에 대한 대응과 시스템의 개선을 촉진하는 데 중요한 역할을 한다. 논어의 구절에서는 스스로 욕하지 않으면서도 결정적인 행동을 통해 시스템의 변화를 이끌어내는 모습을 상상할 수 있다.

이러한 측면들을 통해, 논어의 구절과 대비하여 사회복지사가 가져야 할 단호함은 고객 중심의 단호함, 전문성과 윤리적 단호함, 그리고 시스템에 대한 단호함이라 할 수 있다. 이러한 단호함은 효과적인 사회복지 서비스 제공과 구조적인 변화를 이끌어내는 데에 기여할 것으로 기대된다.

인문학 코칭, 군자와 사회복지사

군자는 타인에게 충심을 다해 가르치고 인도하는 모습을 보여야 한다. 이는 사회복지사가 클라이언트에게 마음을 다하고, 이해하며 상황에 맞게 지도해주어야 함을 의미한다. 고객 중심의 서비스 제공과 이해심은 사회복지사가 가장 높은 수준의 지도와 도움을 제공할 수 있는 핵심 가치이다. 군자는 만약 이러한 노력에도 불구하고 상황이 개선되지 않는다면 그만두라고 말한다. 군자는 때로는 현실적인 판단과 결정을 내려야 한다. 사회복지사도 클라이언트에게 최선의 도움을 제공하려 노력하지만, 경우에 따라서는 클라이언트와의 상호작용이 예상대로 이루어지지 않을 수 있다. 이런 경우에 사회복지사는 전문적이고 현명한 판단을 통해 상황을 평가하고 적절히 대처해야 함을 말한다.

군자는 이러한 결정에 대해 스스로를 욕하지 않아야 한다고 말한다. 이는 사회복지사가 자기 자신에게 너무 큰 부담을 주지 않고, 클라이언트의 변화에 노력을 기울이면서도 상황에 따라 결정적인 단호함을 가지며 스스로를 돌아볼 수 있어야 함을 말한다.

사회복지사는 고객 중심의 태도를 가져야 한다. 클라이언트의 상황을 충심으로 이해하고, 그들의 요구에 부응하여 친절하게 인도해야 한다. 그러나 현실적으로는 모든 상황에서 해결책을 찾기가 어려울 수 있다. 사회복지사는 최선을 다하되, 클라이언트가 협력하지 않거나 상황이 개선되지 않을 때, 상황을 재평가하고 필요에 따라 일정한 단호함을 가지고 그만두는 결정을 내리는 것이 중요하다. 어떤 경우에도 노력과 노력에 대한 책임을 다하지만, 상황이 제어 불능일 때 스스로를 비난하지 않고, 새로운 방향을 모색하는 데에 집중해야 한다.

사회복지인문학, 단호함

사회복지 현장에서 단호함은 효과적인 서비스 제공과 클라이언트의 긍정적인 변화를 이끌어 내기 위한 중요한 요소 중 하나이다. 단호함은 클라이언트와의 상호작용에서 경계를 설정하고, 전문적이고 객관적인 의견 표명을 통해 협력적인 관계를 구축하는 데 필수적이다.

먼저, 명확한 경계 설정과 커뮤니케이션이 단호함의 핵심이다. 사회복지사는 클라이언트와의 관계에서 양측 간의 역할과 책임을 명확히 전달하고 이해하기 위해 명확한 규칙과 프로세스를 설명해야 한다. 이를 통해 서로 간의 예상치와 기대치를 정립하고, 단호함을 통한 건강한 관계를 형성할 수 있다.

전문가로서의 의견 표명과 결정적인 대응이 클라이언트와의 상호작용에서 단호함을 실천하는 데 도움이 된다. 사회복지사는 전문적이고 객관적인 시각을 유지하면서 현실적인 의견을 클라이언트에게 전달해야 한다. 때로는 클라이언트가 받아들이기 어려운 사실을 직시하고, 이를 바탕으로 함께 협력적인 해결책을 찾아내야 한다. 결정적인 대응을 통해 클라이언트의 의존을 방지하고, 지속적인 발전을 위한 기반을 마련할 수 있다.

자기관리 및 객관적인 판단은 단호함을 유지하는 데에 있어 중요한 역할을 한다. 사회복지사는 자기 자신을 잘 관리하고, 객관적이며 공정한 판단을 유지해야 한다. 감정에 휩싸이지 않고, 클라이언트의 이익과 사회적 정의에 따라 행동하면서도, 상황에 따라 단호한 결정을 내리는 데 있어 항상 자기 역할과 임무에 대한 강한 의지를 유지해야 한다.

사회복지사 실천법

- 평온한 표정으로 소통하라.
- 존중과 이해의 미소를 지어라.
- 상대에 대한 공감의 표정을 지어라.

사회복지사는 클라리언트와의 소통에서 단호한 전문가로서의 태도를 유지하고 공감하는 태도이다. 특히 사회복지사의 미세표정 관리는 클라이언트와의 상호작용에서 중요한 역할을 한다. 이를 위한 미세표정 관리의 세 가지 방법은 다음과 같다.

먼저, 평정한 표정 유지해야 한다. 사회복지사는 다양한 상황에서도 평정한 표정을 유지하는 능력이 필요하다. 어떠한 상황에서도 과도한 감정을 드러내지 않고, 안정된 표정을 유지함으로써 클라이언트에게 안정감을 전해줄 수 있습니다. 특히 어려운 이야기를 나누거나 감정적으로 예민한 주제에 대해 대화할 때, 평정한 표정은 클라이언트와의 신뢰를 구축하는 데에 도움이 된다.

다음으로, 존중과 이해를 나타내는 미소를 활용해야 한다. 미소는 존중과 이해를 나타내는 중요한 비언어적 수단이다. 사회복지사가 클라이언트에게 미소를 보이면서 대화할 경우, 클라이언트는 더욱 편안하게 느낄 수 있습니다. 그러나 무작위로 미소를 지어서가 아니라, 상황에 따라서 적절하게 존중과 이해를 표현하는 미소를 사용하는 것이 중요하다.

마지막으로, 클라이언트의 감정에 공감하는 표정을 표현해야 한다. 클라이언트가 자신의 감정을 나누는 경우, 사회복지사는 이에 공감하는 표정을 표현해야 한다. 공감 표정은 클라이언트에게 이해되고 지지받는다는 느낌을 주며, 상호 간의 신뢰를 증진시킨다. 예를 들어, 클라이언트가 어려운 상황을 털어놓을 때는 공감적인 표정을 통해 그 감정을 받아들인다는 신호를 보내는 것이 중요하다.

이러한 미세표정 관리의 기술들은 사회복지사가 전문가로서의 태도를 유지하면서 클라이언트와 상호작용할 때 필요한 소통의 도구로 활용된다. 이는 클라이언트와의 관계를 보다 효과적으로 발전시키고, 상담과 지원 과정에서 성공적인 결과를 이끌어내는 데에 기여할 수 있다.

19. 분별력을 길러라

"더불어 말할 만해도 함께 말하지 않는다면 사람을 잃게 되고, 더불어 말할 만하지 않는데 함께 말을 한다면 말을 잃게 된다. 지혜로운 자는 사람을 잃지 않고 말도 잃지 않는다."《논어, 위령공편》

본문의 "더불어 말할 만해도 함께 말하지 않는다면 사람을 잃게 되고"에서 나타나듯이, 팀원과의 소통과 협력이 부족하면 팀 내에서의 상호지원이 저하되고, 결과적으로 업무 효율성이 감소할 수 있다. 사회복지사는 효과적인 팀워크를 통해 각자의 전문성을 살려 클라이언트에게 보다 나은 지원을 제공할 수 있다.

"더불어 말할 만하지 않는데 함께 말을 한다면 말을 잃게 된다."에서 알 수 있듯이, 팀원간 서로 소통이 이루어지지 않으면 팀 내에서의 이해도 부족으로 인해 클라이언트에게 더 나은 지원을 제공하기 어려울 수 있다. 팀원간 서로의 관점을 이해하고 공감하는 것은 팀 전체의 효과적인 협력을 촉진할 수 있다.

"지혜로운 자는 사람을 잃지 않고 말도 잃지 않는다."에서 나타나듯이, 팀원 간의 협력은 지혜로운 의사결정과 문제 해결에 기여할 수 있다. 팀원들 간의 협력은 다양한 아이디어와 전문성을 모아서 더 나은 의사결정을 내릴 수 있고, 이는 사회복지사의 업무에 매우 중요하다.

《논어》와 사회복지사의 현장에서의 실천법을 비교하면, 동료와의 협력이 팀의 상호지원, 클라이언트 지원의 향상, 그리고 더 나은 의사결정과 문제해결에 긍정적인 영향을 미친다는 점이 부각된다. 이를 통해 사회복지사는 팀원 간의 협력을 강조하고, 팀 내에서의 효과적인 소통과 협업을 통해 더 나은 결과를 이끌어낸다.

인문학 코칭, 군자와 사회복지사

사회복지사의 분별력은 협력과 상호의사소통에서 핵심적인 역할을 수행한다. 더불어 말할 만해도 함께 말하지 않는다면 사람을 잃게 되고, 이는 협업 과정에서 분별력의 중요성을 강조한다. 상황에 따라 적절한 소통 방식과 협력 전략을 선택하는 것은 사회복지사로서 필수적인 기술이다.

군자의 분별력은 말의 가치를 아는 데 있어 중요한 역할을 한다. 말을 함부로 사용하지 않고, 상황에 따라 적절히 말을 아끼는 것은 군자의 미덕이다. 사회복지사로서도 클라이언트와의 상호작용에서 말과 행동의 중요성을 이해하고, 적절한 말을 통해 효과적인 서비스를 제공할 수 있어야 한다.

또한, 지혜롭게 공헌하고 의사를 전달하는 능력도 사회복지사에게 필요한 분별력의 한 영역이다. 사회복지사는 자신의 지혜를 적절하게 활용하고, 의사를 분별적으로 상대에게 전달하는 능력이 필요하다. 이러한 능력은 서비스 제공뿐만 아니라 팀 내 소통에서도 중요한 역할을 한다.

이러한 비교를 통해 사회복지사와 군자의 태도에서 분별력의 역할과 중요성을 살펴보았다. 두 가지 태도는 각자의 역할과 상황에서 분별력을 적절히 발휘하는 것이 중요하다는 공통된 메시지를 전달한다.

사회복지인문학, 분별력

사회복지 현장에서는 혼자 처리해야 할 일과 함께 협업해야 할 일을 구분하여 효과적으로 업무를 수행하는 것이 중요하다.

혼자 처리해야 할 일에 대한 효과적인 실천법은 자기 주도적이고 철저한 계획과 실행에 주력하는 것이다. 혼자서 업무를 수행할 때는 자신의 역량과 책임을 명확히 이해하고, 다음과 같은 실천법을 적용할 수 있다.

명확한 목표를 설정한다. 혼자 처리하는 업무에서는 명확한 목표 설정이 필요하다. 업무의 목적과 기대되는 결과를 정확히 이해하고, 그에 따른 세부적인 계획을 수립해야 한다. 목표가 명확하면 자신의 일에 대한 방향성을 잃지 않고 효율적으로 작업을 수행할 수 있다.

시간 관리와 우선순위 설정이다. 혼자 처리하는 업무에서는 시간을 효율적으로 활용하는 것이 중요하다. 업무의 긴급성과 중요성을 고려하여 우선순위를 정하고, 일정을 세워 집중해야 한다. 시간을 관리함으로써 더 많은 일을 단기간에 완수할 수 있다.

자기 주도적인 문제의 해결이다. 혼자 처리하는 업무에서는 자기 주도적으로 문제를 해결하는 능력이 필요하다. 예상치 못한 어려움이 발생했을 때 자발적으로 대처하고, 필요한 정보나 자원을 찾아 활용하는 능력을 키워야 한다.

사회복지사 실천법

- 역량과 흥미를 고려하라.
- 목표와 우선순위를 명확하게 정의하라.
- 유연한 대응과 피드백 문화를 구축하라.

사회복지 현장에서 효과적인 업무 분담은 팀의 성과와 효율성을 높이는 중요한 요소이다. 다음은 효과적인 업무 분담을 위한 세 가지 실천법은 다음과 같다.

효과적인 업무 분담을 위해서는 팀원들의 역량과 흥미를 고려해야 한다. 각 팀원은 자신의 전문 분야와 흥미를 바탕으로 업무를 수행하는 데 더 능숙하고 적극적일 수 있다. 예를 들어, 어떤 팀원은 커뮤니케이션 능력이 뛰어나고 다른 팀원은 분석력이 뛰어나다면, 각자의 강점을 살려 효율적으로 업무를 분담할 수 있다. 이를 통해 팀 전체의 성과를 높일 수 있다.

업무 분담을 시작하기 전에 팀 전체가 공유하는 목표와 우선순위를 명확히 정의하는 것이 중요하다. 이를 통해 각 팀원은 자신의 역할과 책임을 이해하고, 팀 전체가 향하는 방향을 일치시킬 수 있다. 목표와 우선순위를 공유하고 이해하는 과정에서 팀원들 간의 의사소통이 활발해지며, 업무 수행에 필요한 리더십과 협력을 발휘할 수 있다.

업무는 상황에 따라 유동적으로 변할 수 있다. 따라서 유연한 대응이 필요하다. 팀원들 간에 업무 진행 상황을 지속적으로 공유하고, 필요에 따라 역할 조정이나 추가적인 지원을 제공해야 한다. 또한, 피드백 문화를 구축하여 팀원들이 서로의 업무 수행에 대해 솔직하게 의견을 나누고 개선점을 찾아야 한다. 피드백을 통해 지속적인 개선이 이뤄지며, 팀 전체의 성과가 향상될 것이다.

이처럼, 역량과 흥미 고려, 목표와 우선순위 정의, 유연한 대응과 피드백 문화 구축은 사회복지 현장에서 업무분담을 효과적으로 수행하는 데 반드시 필요하다.

20. 공감력을 길러라

"자공이 여쭈었다. "평생 실천할 만할 말 한마디가 있습니까?" 공자께서 말씀하셨다. "아마도 서(恕)일 것이다! 내가 하기 싫은 일을 남에게 시키지 않는 것이다."《논어, 위령공편》

본문의 "군자는 말은 어눌하나 행동은 민첩하게 해야 한다."는 사회복지사가 이를 실천하기 위한 방법은 다음과 같다.

《논어》에서 나온 "아마도 서(恕)일 것이다! 내가 하기 싫은 일을 남에게 시키지 않는 것이다."라는 말을 사회복지사의 업무에 대입하여 살펴보면, 이는 사회복지사가 가져야 할 서(恕) 태도를 강조하고 있다.

고객 중심의 태도에서 "내가 하기 싫은 일을 남에게 시키지 않는 것"은 클라이언트와의 상호작용에서 중요한 원칙이다. 사회복지사는 고객의 입장에서 고민하고 필요에 따라 효과적인 서비스를 제공해야 한다. 고객 중심의 태도를 가진 사회복지사는 클라이언트의 요구를 최우선으로 고려하며, 상담과 지원을 통해 그들의 어려움을 최소화하는데 주력해야 한다.

동료 간 협업과 이해에서는 "내가 하기 싫은 일을 남에게 시키지 않는 것"이 동료 간의 협업과 이해를 강조한다. 사회복지 현장에서는 팀원들과의 협력이 필요하다. 각자의 강점을 존중하고 부담이 되는 업무를 적절히 분담하여 효율적인 팀 업무를 수행하는 것은 전체 팀의 성과를 향상시킨다. 공자의 말은 사회복지사에게 동료 간의 협력과 이해를 바탕으로 한 효과적인 팀워크의 중요성을 상기시킨다.

이해와 공감을 통한 상담 능력 강화에서는 "내가 하기 싫은 일을 남에게 시키지 않는 것"이 상담 과정에서의 이해와 공감을 말한다. 사회복지사는 클라이언트의 어려움과 감정을 충분히 이해하고 공감하여 최적의 지원을 제공해야 한다. 이를 통해, 사회복지사는 클라이언트에게 서비스를 제공함으로써 그들이 마음 편안하게 이야기를 나눌 수 있도록 도와야 한다.

이러한 관점에서 볼 때, 논어의 말은 사회복지사가 서비스 제공과 협업 과정에서 고객 중심의 태도, 동료 간의 협력과 이해, 그리고 이해와 공감을 바탕으로 하는 상담 능력을 중시해야 한다는 교훈을 제공한다. 이는 사회복지사의 업무에서 상호 이해와 배려가 필요하다는 원칙을 말하고 있다.

인문학 코칭, 군자와 사회복지사

먼저, 공자의 말에서 나타나는 '서(恕)'는 타인에 대한 이해와 양해를 의미한다. 군자의 관점에서, 이는 자기 희생과 타인을 배려하는 자기통제의 태도를 말한다. 군자는 자신의 불편함을 감수하면서도 타인을 이해하고 양해하는 데 가치를 두는 것처럼, 사회복지사도 클라이언트의 욕구 상황을 이해하고 존중하는 데 중점을 두어야 한다.

하지만, "하기 싫은 일을 남에게 시키지 않는 것"이라는 부분에서 나타나는 자기책임의 태도는 군자의 관점에서 강조되는 부분이다. 군자는 어려움을 회피하지 않고 도전으로 삼아 성장하려는 자세를 가지고 있다. 이는 사회복지사가 클라이언트를 자기책임과 도전의 의식으로 이끌어 내어, 자립성을 증진시키는 데 상응할 수 있다. 사회복지사는 클라리언트 중심의 태도를 가지고 있다. 클라이언트와의 상호작용에서 그들의 입장을 이해하고 효과적인 서비스를 제공하기 위해 노력하는 가치를 말한다.

사회복지사와 군자는 공통적으로 타인을 배려하고 그들의 입장을 이해하는 마음가짐을 가져야 한다. "아마도 서(恕)일 것이다!"는 상황과 상대방을 이해하며 배려하는 태도를 말한다. 둘 다 자신의 편리함을 위해 타인에게 불필요한 행동을 시키지 않는 것을 넘어, 서로의 입장을 고려하여 협력하고 예의 바른 태도를 가져야 함을 말한다.

사회복지인문학, 공감력

사회복지사 전국민 보편화되고 있는 시대이다. AI 시대 '사람 중심'의 서비스가 사회복지에서 중요한 이유는 다양한 측면에서 살펴볼 수 있다.

인간성을 넘어선 기술과의 균형이다. AI 기술은 뛰어난 계산 능력과 데이터 분석 능력을 제공하지만, 이는 결코 인간성을 대체할 수 없다. 사람은 감정, 공감, 도덕적 판단력과 같은 인간적인 가치를 가지고 있으며, 이러한 측면에서만큼 AI는 한계를 가지고 있다. 사회복지에서는 클라이언트의 감정적 상태와 복잡한 상황에 대응하기 위해 인간적인 이해와 공감이 필요하다. '사람 중심' 서비스는 이러한 기술과 인간성 간의 균형을 제공하여 최상의 지원을 제공할 수 있다.

다양성과 소외된 계층의 보호이다. AI 기술의 도입은 효율성과 편의성을 증진시킬 수 있지만, 이로 인해 사회적 다양성과 소외된 계층의 보호가 도전받고 있다. 특히, 특정 그룹이나 사회 약자들은 데이터의 편향으로 인해 공정한 서비스를 받지 못할 우려가 있다. '사람 중심' 서비스는 이러한 다양성과 소외된 계층의 다양한 문제에 대응하고, 기술의 부정적인 영향을 완화함으로써 사회적인 공정성을 높이는 역할을 한다.

윤리와 도덕적 책임의 강조이다. 사회복지사는 높은 윤리와 도덕적 책임을 가져야 한다. AI 기술의 도입으로 인해 민감한 정보의 수집, 개인정보 보호, 의사결정의 투명성 등 다양한 윤리인 문제가 발생하고 있다. '사람 중심' 서비스는 이러한 윤리적 측면을 강조하고, 기술의 사용이 클라이언트의 이익과 안전을 최우선으로 고려해야 한다. 인간의 가치와 도덕성을 기반으로 한 '사람 중심' 서비스는 사회복지의 핵심 가치를 지키는 데에 중요하다.

사회복지사 실천법

- 기본감정을 인지하라.
- 미세표정을 읽어라
- 상대와 공감하라.

폴 에크만 교수는 감정 심리학 분야에서 인간의 기본 감정에 대한 연구로 잘 알려져 있다. 에크만이 제안한 기본 감정 모델은 기쁨, 놀라움, 슬픔, 혐오, 두려움, 분노, 경멸 등 7가지의 기본 감정을 포함하고 있다. 이러한 기본 감정들은 모든 문화와 인종에서 공통적으로 나타날 것으로 예측된다. 폴 에크만 교수가 제안한 기본 감정에 대한 간단한 소개와 대응법을 익힌다면 공감능력을 키울 수 있다.

기쁨 (Joy)

특징: 긍정적인 감정으로 성취, 기쁨, 만족 등을 포함한다.

대응법: 주변의 긍정적인 사건을 의식적으로 찾아봄으로써 기쁨을 증진시킬 수 있다. 사랑하는 가족과 시간을 보내거나, 성공적인 경험을 기록하는 것이 도움이 된다.

놀라움 (Surprise)

특징: 예상치 못한 상황에 대한 반응으로 나타난다.

대응법: 새로운 경험에 개방적이고 호기심 가득한 마음으로 접근함으로써 놀라움을 긍정적으로 대처할 수 있다.

슬픔 (Sadness)

특징: 손실이나 실망으로 인한 부정적인 감정을 나타낸다.

대응법: 슬픔은 허용되어야 하며, 감정을 나누는 것이 중요하다. 친구, 가족, 전문가의 도움을 받아 슬픔을 나누고 공감을 받으면서 치유한다.

혐오 (Disgust)

특징: 불쾌한, 불결하다고 느끼는 상황에 대한 감정이다.

대응법: 혐오를 느낄 때는 자신의 가치관을 존중하면서도 개인 간의 이해와 존중을 통해 갈등을 해결할 수 있다.

두려움 (Fear)

특징: 위협적인 상황에 대한 반응으로 나타난다.

대응법: 두려움은 대처 가능한 정도의 스트레스로 여겨질 때, 문제 해결 전략을 세우고 도움을 구하는 것이 중요하다.

분노 (Anger)

특징: 불평, 불만, 무력감 등에 대한 감정으로 나타난다.

대응법: 분노를 효과적으로 다루기 위해서는 상황에 대한 자기 통제와 대인 관계에서의 소통이 필요하다.

경멸 (Contempt)

특징: 낮잡아 보거나 얕보는 감정으로 나타난다.

대응법: 상대방의 관점을 이해하고 상호 존중을 통해 이러한 감정을 해소할 수 있다.